JN015732

「……というわけで、ふたりは、どうしたい？」

「ここに置いてください！」

「僕も！」

即答。

まぁ、アラルの方は、ミーネの判断に追従しただけなんだろうけどね。

ぐっ…

第五十一章　事業開始

翌朝、子供達の世話をレイコに任せて、不動産屋へと出掛けた。

状況も分からないのに子供達を連れていくわけにはいかないし、勿論子供達だけを残していくわけにもいかない。そして私よりレイコの方が子供の扱いが上手いし、私は怖がられやすいから、その威圧力は子供達より不動産屋に対して使った方が効率がいい。

……適材適所だよ、クソ！

そういうわけで、朝イチでやってきた。うちの物件を扱った不動産屋へ。

「すみませ〜ん！」

うん、事情も確認せずに、いきなり喧嘩腰になったりはしない。

でも、事故物件を黙って売りつけたと分かれば、容赦はしない。

さて、結果はどう出るか……。

＊　　＊

「なる程、じゃあ、以前の経営者に会っても無駄、と……」

「はい、おそらくは……」

うちの物件を担当したのは、従業員ではなく店長（雇われではなく、この不動産屋のオーナー）だった。

どうやら、売れずに困っていた物件を現金（キャッシュ）で買おうとしている余所者（よそもの）の小娘、という『地雷かもしれない案件』を従業員に任せるのは危険だとでも考えて、直接自分が担当することにしたのだろう。

その店長に、詳細を確認したところ……。

あの孤児院は、信仰心篤（あつ）いとある個人によって昔から運営されており、建物もきちんと修繕したり建て替えたりして、領主からの支援と領民からの寄付金、そして孤児達による簡単な労働や家庭菜園等で、貧乏ながらも大きな問題なく存続していたらしいのであるが……。

その運営者が高齢のため引退、孤児院の運営を引き継いだ男が、やらかしたらしいのだ。

いや、『やらかした』というより、最初からそれを狙って引き継ぎを申し出た、という方が正しいのだろう。

領主からの僅かな支援金と、寄付。そして孤児達による労働。

到底、暴利を貪（むさぼ）れるようなお金が動くはずもない。

ならば、どうして悪党が孤児院の運営などに手を出したのか。

……うん、高値で売れる商品があり、そして売れればその商品がまた簡単に補充できるからだ。

その商品の名は、『子供』。

勿論、名目上は『養子』として引き取られる。そしてその実、無給で扱き使われる奴隷扱い。

領内であれば色々と問題になるが、遠い他領の商家とかに引き取られれば情報も流れてこないし、他領のことには領主様も口出しできない。

そう、昨夜、ミーネット、いや、ミーネが言っていたことと合致する。

……そして何らかの切っ掛けでそれが露見し、孤児院が閉鎖された、と。

そうか、女神の鉄槌を喰らわせるまでもなく、既に悪事は露見していたわけか。

「悪党には領主様により法の裁きが与えられました。

しかし孤児院の予算は全て使い込まれており、そんな状況で、しかも人身売買に等しいことをやらかしたという悪評が付いた孤児院を引き受ける者も現れず、いくら領主様が良いお方だとはいえ無限に金銭的支援をしていただけるわけでもなく、孤児院の継続は絶望的となりまして……。

元の運営者は驚き悲しみ、責任を感じて残っていた孤児達の引取先を必死で探し、最後の４人は、年長の男の子ふたりは領主様が兵士見習いとして兵舎住まいにしてくださり、残りは他の街の孤児院に入れていただけることになって、ここは閉鎖されたのです。

ここの売却金は、一部は元の運営者の老後の生活費、残りは無理を聞いてくれた引取先や、最後のふたりを引き受けてくれた他の街の孤児院に謝礼金として渡すことになっています」

あ～……。

引き継いだ悪党以外は、誰も悪くないか。

そして、今更前の運営者にあの子達を押し付けるのも無理があるか……。

そもそも、男の子の方、アラルはここの出身じゃないし。ただ、ミーネが売られた商家に他所から買われてきただけだ。

「すみません、そういうわけで、今更御老人に心労をおかけするに忍びなく、その件は何卒……」

分かってるよ、クソッ！

「分かりました。前の運営者さんには何の責任もなく、不動産屋さんにも何の落ち度もなかった。あとは、こっちで対処します」

「誠に申し訳なく……。それで、もしできましたら、下働きとして雇ってやっていただければと……」

私達が、お金には困っていないと思いやがって……。

元孤児院を買うのに有り金叩いた、という振りをしたのに、商売人にはバレバレだったのかな、私達がまだまだお金を持っているということは……。

まぁ、全財産を叩いて家を買う者はいないよねぇ、普通。その後の生活費とかはちゃんと残しているに決まってるか。

でも、ま、それは確かにその通りだし、自分には何の関係もない孤児のために、大事な顧客を怒らせる危険を冒してまでそんなことを口にするということは、……いい人なんだろうなぁ、多分。

分かったよ、もう！

＊　＊

「……というわけで、ふたりは、どうしたい？」

ここの現状、院長先生や仲間達の行き先等について詳しく説明した後、ミーネとアラルに意思を確認した。

この年齢であれば、もう自分の人生は自分で決められるだろう。

……少なくともそれは、見ず知らずであり、昨夜が初対面である私達が勝手に決めることじゃない。他人の人生を決めるなんて、そんな重責を背負わされるのは、真っ平だ。

胸は、真っ平らだけど……、って、うるさいわ！

そして……。

「ここに置いてください！」

「僕も！」

即答。

まぁ、アラルの方は、ミーネの判断に追従しただけなんだろうけどね。

……当たり前か。9歳の少女と6歳の男の子が普通に生きていけるほど、この世界は優しくない。

いくらこの街の領主様が貴族としては善人であり、街の人達も比較的まともな人が多いとはいっても……。

ここはあくまでも、地球に比べて文明レベルがずっと低く、弱肉強食、弱者は強者の餌になるし

かない世界なのだから。

その『強者』というのが、腕力、知力、経済力、軍事力、政治力、その他どのような方面の『力』によるものなのかは、色々だけど……。

「ここを、また孤児院にでもするつもり？」

そう聞いてきたレイコに、私は首を横に振った。

「ううん。別に、『孤児の世話をするための事業』をやるつもりなんか全くないよ。ただ……」

「ただ？」

「今から始めることに、孤児を住み込みで雇うだけだよ」

「……あんまり変わらないような……」

いや、全然違う。

ここでは、私達が孤児の面倒をみるのではなく、私達が孤児に面倒をみてもらうのである。

そう、『女神の眼』のみんなに炊事洗濯、その他全ての家事をしてもらっていた時のように。

面倒なことは全て孤児に任せて、私はのんびりと暮らすのだ。

家賃と食費分、そして更に給金も払うのだから、問題はない。これは、正規の雇用関係なのだから。

そして、私は『孤児を救済するための事業をしている、心優しき女性』として男性達から好印象を抱かれ、婚活が順調に進むのである！

ふは。

ふははははは！

「あ～……」

そして、全てを悟って、呆れたような声を漏らすレイコ。

そう、レイコは私のことをよく理解してくれているのである。

「カオルの企みが分かってしまう自分が、情けない……」

うるさいわっ！


「というわけで、生活費を稼ぐために仕事をします」

みんなに向かってそう説明する、私。

私とレイコは、別に身の回りの世話をしてもらう必要はないし、9歳児や6歳児に洗濯を押し付けるつもりもない。……今は、まだ。

特製の液体洗剤（ポーション）を使った洗濯を任せるのは、さすがに問題があるし……。

料理は、しばらく教えて、その後は任せてもいいかな。

いや、この子達の将来のためだよ。生活力を身に付けさせるためだ、他意は……あるけど。

まぁ、今は、幼い労働力は別の方面へ投入するのだけどね。

……そう、かねてからの懸案事項である、『細々（ほそぼそ）と生活費を稼いでいる、と見えるような収益事業』の開始である。

「まず、以前孤児院でやっていた、家庭菜園の復活。私達で食べきれず余った分は、売りに出す。

次に、釣りによる漁労。うちで消費する分以外は、売り物にするよ。生のままじゃなくて、加工して商品価値を上げるの」

そう、港町で、子供が釣った僅かな量の魚が、そうそう良い値で売れるわけがない。なので、干物や燻製、漬け込み、煮物焼き物、その他様々な加工や調理をすることによって、商品価値を上げるのである。

加工製品や調理済みの料理ならば。それも、食べ物には拘る日本の加工食品や調理方法を知っている私達が仕上げたものならば、高級品として酒場や高級宿屋、料理店などに高値で売れる可能性がある。魚の腹子や白子とかは、食べる習慣はあっても、日本のような洗練された調理法とかではあるまい。

勿論、しっかりとレイコがそのあたりの知識も仕入れてきている。異世界転生することが分かっていて、70年もの準備期間があった人は、さすが、違うねぇ！　……くそっ！

それに、子供達が必死で頑張っている姿を見せれば、お人好しが多いらしいこの街なら、必ず買ってもらえるはずである。

子供と動物によるお涙頂戴モノは、必ず売れるのである！　地球の映画界のように……。

また、アイテムボックスに入れておけば傷むことはないので、売れ残って廃棄、とかいうロスを出すこともない。一度に大量に作って、保存しておけば省力化が図れるだろう。

干物や燻製とかは、ずっと付きっきりで作業しなきゃならないわけじゃないし、火加減の見張りとかは従業員任せ。

うん、私とレイコはあまり時間を取られず、そこそこお金を稼げそうだ。

家は持ち家、水は無料。そして野菜と魚介類は自前。

勿論、ポーションによる野菜の生長促進や、日本の最新式の釣り具を真似たものによる、ささやかなチートを行使する。釣りは従業員の娯楽や休憩、気分転換も兼ねたもので、そんなに必死でやろうとは思っていないけどね。

「あと、私達の故郷の方では使われているけどこのあたりでは普及していないものを作って、販売するよ」

そう、あまり文明の差には関係のないもの、つまりおはじき、ビー玉、メンコ、コマ、ぬいぐるみ、ビスクドール、けん玉、カルタ、ヨーヨー、そういう類いのものを順番に少しずつ製作してみようかと思っているのだ。

勿論、順調に売れたらすぐにパクられるだろうけど、こっちは価格をかなり安くできるし、最初に考案者がうちだということをはっきりと示しておけば、孤児、いや、『元孤児』が頑張るのを邪魔するような商人はあまりいないだろう。

そのあたりは、この街の民度に期待しよう。

まぁ、駄目なら、その時に次の手を考えればいいや……。

「『リトルシルバー』、事業開始だよ！」

「「「おお〜っ!!」」」

レイコ、ミーネ、アラルから元気な返事が返ってきた。

……そう、パワフル事業開始、だ。事業は戦闘だよ！

この街では、製造・販売業は商工ギルド……と呼ぶにはあまりにも恥ずかしい、まぁ、田舎町にある小さな商工会のようなもの……に加入して、そこを通じて領主様に税を納めなければならないらしい。

まぁ、当たり前だよねぇ。

職人や商人から税を取らない領主様はいないよねぇ……。

しかし！

何と、ここが孤児院だった時には、『運営が苦しい孤児院が、必死に頑張っているのだから』、『儲けることが目的ではなく、孤児達にひもじい思いをさせないようにとの活動であるから』という理由で、課税対象外だったらしいのだ、孤児や院長さん達が働いて得た収入や、家庭菜園で採れた作物とかに関しては……。

まぁ、金額にすればほんの僅かなものだし、孤児院から税金を取るというのも、確かに外聞のいいものじゃない。本来は税金を取るどころか、逆に、集めた税金から支援してやる方だろう。

で、何を言いたいかというとだ。

……うちの事業、免税にできないかな、ということだ。

幸い、と言うのは少々語弊があるけれど、うちには孤児がふたりいる。

いや、『両親がいなくても、うちに就職して働いているならば、それは「両親が早くに亡くなった者」というだけであって、今はもう立派な社会人である。そして、私達が保護者となり、後見人となるから、もう孤立していないし、孤独でもない。そう、言葉の定義はどうあれ、もう、この子達は「孤児」ではない！』と先日レイコと子供達に一席ぶったばかりだけど、早速の手の平返しだ。

そう、領主様に『孤児の自立のために支援事業を始めたい』と届け出ようというわけだ。その届けを読んだ人が、『ああ、孤児院を始めるのだな』と受け取るように、言語能力の限りを尽くして書いた文面で……。

詐欺じゃない。嘘は書いていないからね、一片たりとも。

そして、貴族としては、……あくまでも、貴族としては……、割といい人であるらしい領主様は、おそらくうちを免税対象にしてくれるだろう。ちゃんとその旨のお願いを書いておいたので、うっかりその点に触れるのを忘れた返事が、とかいう心配はない。

ま、以前がそうだったらしいし、わざわざ自費でここを買い取って孤児院を開く（と勘違いしている）ならば、同じようにしてくれるのは全然不思議じゃない。

私は、別にお金にがめついというわけじゃなく……もないけど……、もし税を払うとなると色々と会計計算やら書類作成やらが面倒くさいし、うちのお金の流れが領主様側の関係者達に完全に把握されちゃうし、意図していなくてもついうっかりと脱税してしまったりすると、大変なことになりかねない。

そして、そのあたりをきちんとせずに、なぁなぁで始めた場合……、儲かっているらしいと知った途端に、『税を払え』とか言われるかもしれないし……。

また、たとえ領主様はそう考えなかったとしても、配下の者やら、そいつらと繋がった商人とか、小銭を欲しがるチンピラとかから余計なちょっかいを掛けられたりする可能性もある。

孤児院が金蔓(かねづる)となるネタを持っているとなれば、それを簡単に奪える、と考える者は多いだろうからね。……うちは孤児院じゃないけど。

とにかく、情報が漏れそうなところや、付け入る隙は少ない方がいい、ってことだ。


『リトルシルバー』というのは、勿論、うちの組織名だ。

そう、店名でも屋号でも会社名でも事業者名でもなく、組織名。

表向きの組織としては、孤児達を住み込みで雇用する営利団体。

……そう、『営利団体』だ。決して、慈善団体だとか非営利団体だとかじゃない。

もし名前の由来を尋ねられれば、こう答える。

子供達は皆、小さな銀の鉱石である。

金(ゴールド)ではないかもしれないが、それでも皆、ちゃんとした価値のある『銀』である。決して粗末に扱って良いものではない。

将来大きな銀塊になったり、燻(いぶ)し銀のような渋さを備えたり、そして中には銀のメッキを振るい落として、金の地金や宝石が姿を現すことも……。

それら、『小さな銀塊』を守り、育てる場所であるから『リトルシルバー』、と……。

……本当の由来？

うちの商品の多くは、日本円で数百円相当、つまり小銀貨(リトルシルバー)数枚で売るつもりだからだよ。

そんなに荒稼ぎしたいわけじゃない。

……というか、大きく稼ぐのは、こっそりと、バレないように裏側でやる。表側では、一見あまり利益を重視していないように見える、『なんちゃって誠実商売』を行うのである。

そして、孤児を支援する『リトルシルバー』は、うちの組織の顔のうちのひとつに過ぎない。

うちは、その他にも様々な顔を持つ予定だ。

新製品の開発・製造部門。

新しいものを発明したり作ったりすることより、『その製品を作ったり売ったりしても問題がないかどうかを見極める』ということを主な業務とする予定。

製造は、一応、ポーション容器作製能力や魔法にはあまり頼らないようにしたい。でないと、あまりにもズルが過ぎるし、この世界の正しい経済活動を歪めてしまうからね。

……勿論、子供達が『手に職を付ける』という意味もある。

そして、私達は場違いな工芸品(オーパーツ)を作りまくるつもりはない。

別に、未来の考古学者を困らせたいわけじゃないのだ。なので、作るのは、ここの技術でも問題なく作れるような小物や、ちょっとしたアイディア商品の類(たぐ)いだ。

いや、勿論、自分達用とかは、ある程度は仕方ないけどね。……うん、それは仕方ないのだ！

商売部門。

子供達が細々と売るのとは別ルートで、大量販売を行うルートの開拓。

非合法なことはやらない。子供達を中心とした小売り事業や小規模な委託販売とは別に、卸しの商売を行うというだけのことだ。

領主様から『それは免税の対象外だ！』と文句が来そうな気もするけれど、ま、何とかなるなる！

領主様も、小娘がここを買い取るだけの財力を持っているというのはおかしいと考えて、当然、私達の後ろにはそれなりのものがあるはず、と思ってくれているだろう。

……具体的に言うと、放蕩娘（ほうとうむすめ）に大金を自由にさせている金持ちの両親とか、それくらいのお金は子供の小遣い銭くらいにしか思わない権力者とか……。

だから、『商売の方は、ここを買い取るために使ったお金を親に返さなければならないから、そのためにやっています。言わば、孤児院の土地と建物のための借金返済のためであり、現在、儲けどころか借金で大赤字です』と言えば、納得してくれるだろう。

だって、それは事実なんだからね。自費でここを買い取って孤児のために事業を始めようとしている少女ふたりを悪人扱いすることはないだろう。不正に金儲けを企むならば、こんな馬鹿げたことをやる者はいやしないだろうからね。

お金にはあんまり困っていないくせに、どうしてそんなに手を広げて危険を冒すのか？

いや、これもまた、安全措置のひとつだ。

表の、ささやかな稼ぎでは説明が付かないような高額のものを入手する必要が生じた時。

ささやかな稼ぎからでもお金を巻き上げようだとか、この土地と建物を奪おうとか、……そして子供達、ミーネとアラルを商品として手に入れようとか考える奴が現れた時。

そういう事態に備えて、『それなりの後ろ盾(バック)』を用意しておいた方がいいのではないかと考えたのだ。

少し大きな商売をしていれば、それなりに味方をしてくれる商人が現れるだろう。

新しい商品を売り出せば、悪い意味ではなく『金になる』と考えて助けてくれる人もいるかもしれない。

うん、『お金の匂い』は、敵も引き寄せるけれど、味方もまた引き寄せてくれる。

なので、そっちは『表』ではなく、『裏』というか『水面下』というか、ま、一般の人々にはあまり目立たないように、ということで……。

とにかく、『何の後ろ盾もない、未成年の子供(に見える者)達だけでやっている金儲け』は、たとえそれがどんなに少額、小規模であっても、それなりに屑が寄ってくる、ってことだ。少額ならチンピラとかが、高額なら暴力団や悪徳商人、悪徳貴族とかの類(たぐ)いが……。

そしてそれらを避けるための『お守り』には、既に他の組織や商人が唾(つば)を付けている、というのが有効だ。だから、先に『比較的、まともなところ』と繋ぎをつけておいた方がいい。あまり大儲けはできなくても、そこそこの金蔓にはなる相手、と思わせて。

それに、孤児院モドキと取り引きしているという事実は、『良き商人』として対外的な評価を高めるだろうから、Win-Win の関係だ。

「カオル、あなた、ミーネとアラルがまた商品として狙われたら、なんて言ってるけど、世間から見れば、あなたも私も充分『良い値で売り飛ばせる商品』だからね? それと、ハングとバッドも、馬としてはかなりの高級馬なんでしょ？　多分、私達より高い値が付きそうな……。

そして、私達に金持ちの親がいると思われたら、身代金目当てとか、そういう方面の連中にも目を付けられる可能性があるわよ」

「あ……」

よし、防犯設備を追加しよう。ミーネとアラルにも、何か持たせなきゃ。

主に、『攻撃は最大の防御なり』という方向で……。

＊　　＊

「……それをうちで売ってくれ、ってかい？」

「はい。うちで面倒をみている子供達が作ったものなんです。買っていただいてもいいですし、店に置いていていただいて、売れた場合だけ手数料を引いた代金を戴く、という形でも結構です」

「う～ん……」

今日は、営業活動だ。

私とレイコ、そしてミーネとアラルにも手伝わせて作った、民芸品。

鮭を咥(くわ)えた木彫りの熊、魔除(まよ)けのシーサー、独楽(こま)、羽子板、手まり、その他諸々……。

独楽や羽子板、手まり等は、遊び用としての実用品の他に、美麗な装飾用のものも用意した。

勿論、独楽や羽子板に絵を描いたのはレイコ。私や子供達には、そんな才能はなかったよ……。

これらの品々は、別に製造に高度な技術が必要なわけじゃないし、似たようなものがとっくに、それこそ何百年も前から作られているかもしれないくらいだ。何せ、古代ローマでは既に中に羽毛を詰めたボールや空気で膨らませたボールが普通に使われていたらしいし。

人間の『遊び』に対する欲求は凄いからねぇ。

でも、あらゆる遊びが全ての地域に広まっているわけじゃないし、ただ遊ぶだけではなく『道具に凝る』、『綺麗な装飾品として飾る』という方面にも配慮した、異国情緒（エキゾチックな）のある品々。

……いけると思うんだよねぇ……。

けん玉とかおはじき、お手玉（おじゃみ）、ビー玉、メンコ、ぬいぐるみ、ビスクドール、カルタ、ヨーヨーその他は、また、次の機会に。

いや、人気が出た商品はどうせすぐにパクられるだろうし、一度にそんなには手が回らない。

それに、中にはすぐに製造するのは難しいものもある。竹か籐（とう）を確保しないと難しそうなもの、ガラスを安価で手に入れる必要があるおはじきやビー玉、紙が必要なメンコ……泥メンコや鉛メンコは別だけど……、高品質な糸と針が必要なぬいぐるみ、……そしてビスクドール、てめーは難易度が高すぎる!!

いや、そりゃポーションを容器として出せば済むけれど、自分達用のちょっとした贅沢に使うならばともかく、他者に販売するもの、うちの『表の顔』での生活費稼ぎにおける主力商品群にそれを使うことはできない。

「うむむむ……」

まだ悩み続けている、小間物屋のおじさん。

そして……。

「よし、駄目で元々、おじさんも孤児達のためにちょっぴり協力してやるよ！」

「ありがとうございます！」

よし、販路開拓に成功した！

くくく、また一歩、野望に近付いた……。

こうやって、少しずつ販路を開拓しているのである。

勿論、遊具だけでなく、加工食品の方にも手を出している。

自分達で獲ると時間が掛かるし、獲物の数や種類、サイズとかが揃わないから、今は加工用の魚介類は市場で買っているけどね。

……だって、大きさも種類も全然違う魚が5～6匹獲れたところで、加工のしようがないよ。

そういうのは、同じ種類の、サイズが揃ったやつでないと同時に加工できやしない。サイズがバラバラだと、干したり燻（いぶ）したりする時間が統一できないから、どうしようもなかったよ。

うん、考えが甘かった……。

そういうわけで、燻製や天日干し、一夜干し等は、市場で同じサイズのを買ってきて加工し、店に卸してる。

店といっても、卸す相手は魚屋じゃない。そんなところに売れれば、買い叩かれるわけじゃなくても、大した価格にはならない。当たり前だ。それに、魚屋も干物くらい作っている。うちのよりは品質が落ちるけれど……。

かといって、一般家庭用に小売りするのは大変すぎる。手間とか、拘束時間とかいう意味で。

それに、街から少し離れたうちまで買いに来るのも面倒だろうし、街の中心部近くに店を構えるつもりもない。

だから、直接売るのである。……飲み屋や飯屋に。

人気が出れば、ひとつの店につき毎日10匹分以上売れる。そして、一般家庭に売るより高い価格設定でも大丈夫だ。それに、そもそも今のうちの陣容だと毎日そんなにたくさんの干物や燻製を作れるわけじゃない。お得意さんの店を数軒確保できれば充分だ。

そして、注文生産ではなく、その日にできた分だけを適当に売る、ということに。

毎日ノルマがあって仕事に追われるというのは、気が休まらないから嫌だ。子供達にも、そんな、締め切りに追われる漫画家のような生活はさせたくない。そんな生活、心が荒(すさ)んじゃうよ、うん。

というわけで、その日にできた分だけを、適当に持ち込んで売る。

勿論、そんな殿様商売が許されるのは、商品が好評であった場合だけだ。

ま、干物は『天気が悪かったから』、『いい魚が手に入らなかったから』、『子供が熱を出して、それどころじゃなかったから』等、いくらでも『本日は入荷なし』の理由は付けられるし、それで文句を言うような者もいないだろう。

……本当は、余裕がある時にたくさん作っておいて、アイテムボックスに保管しておけばいいんだけどね。

あ、レイコの魔法で乾燥させて干物の瞬間作製を、という計画は失敗に終わった。

うん、やっぱり、熟成というか化学変化というか、そういう『旨味が増すための段階』というものが必要らしく、乾けばいい、というものじゃなかった。

……うん、知ってた。

焼き魚も、魔法とは相性が悪かった。外側は黒こげ、中は生。

煮物は、もっと相性が悪かった。ずっと弱火の火魔法で加熱をし続けるって、面倒過ぎ。私はべつに構わないけれど、レイコが音を上げた。

……うん、知ってた。 

そもそも、製造工程に魔法の使用が前提となっていては、子供達の手に職を、という目的から逸脱する。更に、普通に天日で干したり薪で煮炊きした方が楽ちんで美味しいとなれば、もう、魔法を使うことには何の意味もない。……せいぜい、薪代の節約か、レイコに対する何らかの懲罰的な意味合いしか……。

干物・燻製関連で魔法が役立つのは、製塩だけだ。

塩水は、すぐ側(そば)、崖の下に無限にある。まだ公害とかで汚染されていない、綺麗な海水が。

そこにある塩水から魔法で分離・抽出するか、火力で水分を蒸発させるか、まぁ、色々とやり方はある。

……勿論、レイコの魔法より私の能力で出した方が簡単だけど、世の中、あまり手抜きをするのは良くないだろう。それに、レイコにも活躍の場がないと……。

塩だけなら、『他国から安く取り寄せている』ということにしておけば、余所者である上に裕福な家の者だと思われている私達ならば、何らかのコネや伝手があるだろうと思われるから説明はつくし、子供達が将来自分達だけでやろうとする時には、どこかのルートで仕入れれば済むことである。そのうち、小規模な製塩方法について教えてやってもいいし。

いや、塩を普通に買おうとすれば、かなり高くつくんだよ。だから、『あまり不審に思われず、その気になれば普通のルートで仕入れられる（高いけど）』という塩は、ズルすることにしたのだ。

これくらいは許容範囲内だ、うん。

そういうわけで、ごく普通の作り方をしている海産物加工品も、いくつかの飲み屋や飯屋（とても、レストランとか食堂などという呼び方ができるような図々しさや恥知らずさは、私にはない）に卸している。あと2～3軒増やしたいところだけど、それは今卸している店での評判を確かめてから、と考えているのだ。生産能力にも、限界というものがあるしね。


「……何か、思ったほど楽ちんで優雅な生活じゃないわねぇ……」

「当たり前でしょ！　貴族のお嬢様じゃあるまいし、こういう世界で大商人の娘というわけでもない平民の小娘が、そんな楽ちんな生活してたらおかしいでしょうが……」

レイコが急にそんなことを言い出したから、たしなめたところ……。

「でも、私達って、お金持ちの娘が道楽で、採算度外視で何やらやっている、って想定……というか、そう思われているんじゃないの？」

うっ……。

「ま、まぁ、それは商売人や上の人達にそう勘違いさせておくと色々と都合がいい、ってだけで、本当はそんな後ろ盾はないし、私が貯めていた昔の財産は以後は封印、何か特別な事態にでもならない限り使わない、って決めたじゃないの。

これからは、私達は家を持っている以外はごく普通の平民として、手持ち財産ゼロという状況からスタートするのよ。

ま、それで少しお金が貯まれば、そこそこの『ささやかな、庶民の贅沢』くらいはするけれど。

それと、地下司令部（ひみつきち）では、ポーション作製能力で出した贅沢品を飲食したり使ったりするのも無制限だし……」

そう、地上部分では、万一に備えるという意味もあるけれど、一応、ちゃんと『この世界の住人』として暮らそうと思っているのだ。

今はミーネとアラルがいるから勿論だけど、元々、最初からそういうつもりだった。レイコとも、それで合意していたし。

……でないと、ミーネ達を引き取るという話をあんなに簡単に決めたりしていない。

私達ふたりだけで暮らすのと、この世界の者であり私達の秘密を教えることのできないミーネ達が一緒に暮らすのとでは、難易度というか気を遣わねばならない部分というか、生活状況が根本から変わってしまうのだから。

……そう、『縛りプレイにも程がある』、ってやつだ。

でも、ま、それもまたいいだろう。

異世界とくれば、魔王討伐かスローライフ。

勿論、私達は後者を選ぶ。

せっかくだから、私達はこの赤いスローライフを選ぶぜ、ってやつだ。

うむうむ！


「……というわけで、ハングとバッドを連れてきたよ！」

「何が、『というわけで』なのか、分かんないよ……」

私の、ナントカ三銃士を連れてきたよ、みたいな台詞に困惑するミーネとアラルの前にいるのは、馬屋に預けていた、ハングとバッド。

馬屋に預けて郊外の牧場で世話してもらっていると、２頭を使う機会が全然ないのだ。

ちょっと街中のどこかへ行くくらいなら、馬屋に牧場からハングとバッドを連れて来させたり、私達が直接郊外の牧場に行ったりするよりも、目的地まで歩くか辻馬車を拾った方がよっぽど早い。

つまりそれは、遠出でもしない限りハングとバッドの出番が全くないということであり、……そして私達には、今のところ遠出する予定は全くない。

……そりゃ、泣くわなぁ、ハングとバッド……。

なので、逃げる心配もなく、口頭指示で言う通りに動いてくれるハングとバッドなら、ここで一緒に暮らしてもいいんじゃないかと思ったわけだ。周りには民家はないし、森の手前までは草むらだから、放牧状態にできるし……。それに、見張り番代わりにもなるしね。

幸い、物置か何かに使っていたのか、厩代わりに使えそうな小屋もある。

勿論、心を込めて世話をするけれど、専門家じゃないから正規の牧場のような完璧さは無理だ。

だけど、その代わり私とレイコはハング達と話ができるし、怪我や病気にはポーションがある。

だから、問題はないと思うけれど、そこは本人……本馬達の希望に沿いたいと思う。

なので、うちで暮らすのと馬屋が経営している牧場でのんびり暮らすのとどっちがいいか聞いたところ、当然のことながら、うちで暮らす方を選択したわけだ。２頭が、自分達の意思で。

うむうむ。

そして……。


「……というわけで、『体験勤務』はこれで終わり。うちがどういう場所で、どういう仕事をして、何を目指しているかは大体分かったと思う。なので、改めて聞くよ。

うちで働き続けるか、今までの給金を受け取ってどこかへ行くか、決めなさい。

但し、うちで働き続けることを選んだ場合、ここで見聞きした『普通じゃないこと』の口外禁止、という条件を守ってもらいます。そして、将来独立して自分達で店を持つ時には、ここで覚えたことを全て使っても構いません。

よく考えて、返事は３日以内に……」

「「ここでずっと働きます!!」」

「即答かい！」

というわけで、ミーネとアラルは正式にうちの従業員となった。

ならば……。

「ここが、地下室への入り口。在庫物資を取り出す時、作った商品を保管する時、……そして盗賊やうちを狙う悪党共に襲われた時には、逃げ込んで助けが来るのを待つために使う場所だよ。出入り口を閉めると目立たなくて見つかりにくいし、内側の閂を掛ければ、外側からは力を入れて摑めるところがないから、なかなか開けられないはずだよ。普段開閉に使う取っ手は、閂を掛けた状態で無理に引っ張ると簡単に取れちゃうようになってるからね。

そして、自分達が降りた後は階段の留め金を外しておいて、誰かが降りようとしたら真っ逆さまに落ちるようにして、更に落下地点には毒を塗った竹を植えた台を置くように。私達は別の出入り口を使うから、そっちの心配は必要ないからね」

「…………」

なぜ、引き攣ったような顔で黙り込むのかなぁ、ミーネ……。

「ふえぇ……」

まだ6歳のアラルは、眼を丸くしている。

ふたりに開放するのは、第1層だけだ。今のところ、それより下層を開放する予定はない。

そして数秒後、黙り込んでいたミーネが、呟いた。

「隠れたり立て籠もったりするのはいいのですが、反撃して、賊共をこちらから積極的に殺してはいけないのですか？」

……どこの弓兵だよ！

「ひとり一殺、この身体を盾にして、必ずやカオル様とレイコ様をお守りします。なので、私が義務を果たして死んだ後は、何卒、アラルのことを……」

私の脳裏に、別の、ふたりの孤児の姿がよぎった。昔のままの、懐かしい姿が……。

「そんなのは求めてない！」

私が突然怒鳴ったから、ふたりがびっくりして怯えている。

……って、ちょっと怯えすぎでは……、って、いい、分かってる！　くそ……。

顔から力を抜いて、微笑んで、優しい眼をして……、って、どうして余計に怯えるんだよ!!

とにかく、言うべきことを言ってしまおう。

「私達は、自分の身を守ることくらいできる！　子供に命を投げ出してまで守ってもらう必要なんかないよ、大人を馬鹿にするな！　子供は、黙って大人達に守ってもらってりゃいいんだよ、無理に背伸びなんかするんじゃない。10年早いわっ！」

言い方がキツい？　いや、この手合いは、これくらい言っても足りやしないんだよ。そういうのは、この世界での『第1シーズン』で充分思い知った。

今度は、狂信者は作らない。子供は、子供らしく成長させるんだ。

「……え？　大人、って……。ここ、他にも人がいるんですか？」

……うるさいわ！


「ええっ、おふたり共、15歳？　レイコ様はともかく……」

だから、うるさいっての！　身長は、レイコとそこまで大きく変わらないだろうが！　……身長は!!


クソがっっ!!

はぁはぁはぁ……。

ぎろり！

「は、ははは、はいっ！　わ、分かりました、15歳ですね、はい、15歳!!」

……よし、分かればいいんだよ、分かれば……。

「それと、これを持ってなさい」

そう言ってふたりに渡したのは、お揃いのペンダント。

「首に掛けて、服の内側に入れておきなさい。外から見えると、金目のものだと思って奪おうとする者がいるかもしれないからね。……これは装身具じゃなくて護身用のものだから、他人に見せる必要はないから」

「お守りですか？」

ミーネが、そう聞いてきた。

まぁ、普通はそう思うよね……。

「ううん、これは気休めの飾りじゃなくて、実用品。いい、使い方をよく見ておいてよ……」

そう言って、教育用に作ったものをポケットから取り出した。見た目は同じだけど、あくまでもこれは教育用の見本に過ぎない。だから……。

「まず、賊に襲われた場合、相手にこの部分を向けて、ここを押す。すると……」

ぷしっ！

「このように、少量だけど勢いよく霧状のものが噴き出すからね。押すのは一瞬でいいから。相手が多い場合は、押したままぐるりと周りに吹き付ける。

これは見本だから噴き出しているのはただの水だけど、ふたりに渡したものからは眼にかかったり鼻や口から吸い込んだりすると七転八倒の苦しみを味わう毒霧が出るから、本番以外では絶対に使わないように！　……まぁ、後遺症は残らないから、悪い奴らに対して使う場合は、躊躇（ためら）ったり遠慮したりする必要は全くないからね！」

「う……、うん……」

「そして、この部分をつまんで引き抜くと……」

ぴーっ、ぴーっ、という可愛い音が出た。

「本物は凄く大きな音と、『誘拐犯です、助けてぇ～！』って大声が交互に出るから、攫われそうになったり、助けを呼びたい時には、遠慮なく使うこと！　アラルには、後でミーネからもう一度じっくりと説明してあげるように」

「は、はい！」

うむうむ、こんなところでいいだろう。

下手に鉛玉が飛び出す射出武器なんか持たせたら、誤射や操作ミスとかで無関係の人を怪我させたり、自分達が怪我したりするかもしれない。だから、持たせるのは万一のことがあっても後遺症が残らないようなものだけ。

それに、この子達に人を殺させるのは、なるべく避けたい。

こんな世界だから、甘いことを言うつもりはないけれど、そういうのは、もう少し大きくなってからで、かつ、他に方法がなくて仕方なく、って時が来るまでは、先延ばしにできるに越したことはない。

それに、この子達が狙われるとすれば、それはこの子達を金蔓にするためであって、決して遠距離から狙撃してヘッドショット、一撃必殺を狙う、というわけじゃないだろう。なので、誘拐さえ防げれば、それでいい。敵の殲滅は、後で私とレイコが担当すればいいだけのことだ。だから……。

「これを使うのは、本当に身の危険を感じた時のみ。遊びや冗談、悪ふざけで使っていいようなものじゃない。

……でも、使うべき時には躊躇わずに使うこと！　お金を持っているくせに、勿体ないからと節約し過ぎて病気になったり飢え死にしたりする者は、頭がいいと思う？」

　ぶんぶんぶん！

　うむうむ、全力で首を横に振っているな。何か、首が取れそうで怖いから、それくらいにしとこうか？

　よし、これだけ言っておけば、大丈夫だろう。

　あとは、始めたばかりの事業を軌道に乗せるのみ。規模の拡大や他の事業の開始は、その後だ。

　とりあえずは、始めた事業が黒字で、何とかやっていけてる、ということを街の連中に示すのが先決だ。黒字の企業には、信用ができる。事業には最も重要な要素である、『信用』が……。

第五十二章　ねらわれた孤児院

以前、この街はまともな街だと言った。

確かに、それは嘘じゃない。

まともな国王、まともな領主、まともなギルド、そしてまともな街の住民達。

……うん、概ねは。

そう、勿論、善人ばかりの国なんか存在しない。もしあったとしても、周辺諸国に食い物にされてすぐに滅ぶだろう。

そして勿論、善人ばかりの街も存在しない。なので当然、この街にも悪い奴、馬鹿な奴、そして人間のクズが存在した。


「よぅ、おめぇら、孤児のくせに結構稼いでるらしいじゃねぇか。子供だけじゃ、色々と物騒だからな。これからは俺達が面倒見てやるぜ。色々と、そう、色々とな……」

あああ、来た来た、あまりにも分かりやすい連中が……。

今日は、契約している飲み屋や飯屋に加工魚介類……干物や燻製、海藻類とか。発酵製品や節類とかにはまだ手を出していない……を納入するのに、ミーネとアラルを連れてきている。今後、納入はふたりに任せる時があるから、店への顔見せだ。レイコも一緒。

1回あたりの納入分はたいした金額じゃないから、滅多に絡まれるようなことはないだろうし、もし商品や代金を奪われても、たいしたことじゃない。……どうせ後で何倍にもして取り返すし。

そう思っていたのに、早速のお出ましかぁ。しかも、こんな街中で……。多分、子供だと思って舐めてるんだろうなぁ。

ミーネとアラルはともかく、私も12歳くらいにしか見られないし、そんな私が主導権を握っているという様子から考えて、レイコも少し発育がいいだけで私と同年代だと思われていてもおかしくはない。……つまり、世間知らずの子供の集団だ。なので、ちょっと脅せば簡単に言いなりになるとでも思っているのかな。

ま、今回のみの商品や売り上げ代金の巻き上げ、というわけではなく、定常的にお金を吸い取るため、つまりうちを自分達の金蔓(かねづる)にしようとしての手出しなんだろうけど。

こういうのは、派手に見せしめにするべきだよねぇ、私達の特異性はバレないようにして。

そういうことが何度かあれば、ミーネとアラルだけで行動していても、ふたりに手出ししようとする者はいなくなるだろう。

あとは、このチンピラ3人組が、自分達だけでこれを考えたのか、誰かの手先かということを確認しなきゃ……。

「間に合ってます」

「クズ共の手を借りなきゃならないほど落ちぶれちゃいないわよ」

うん、誰に対しても比較的穏便な言葉使いをする私と違って、敵認定をした相手に対するレイコの言動は厳しいんだ。

……本当に、全然変わってないなぁ……。この調子で、ちゃんと波風が立たないように日本での人生を送れたのだろうか……。

まぁ、日本には、ここまで即座にレイコが敵認定をする者がそう多かったとは思えないから、それなりに上っ面だけは普通にしていたのかな。

敵ではあっても、相手がそれを表に出さなければ、レイコも攻撃的な言葉を露骨に出すことはなかったからね。……水面下では、かなりえげつない攻撃や反撃を繰り広げていようとも……。 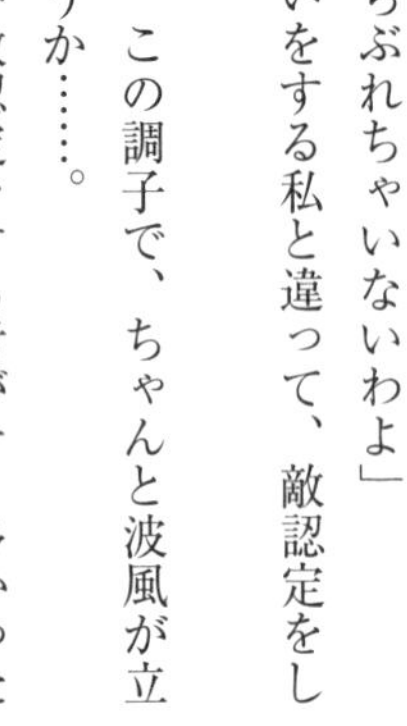

とにかく、言えることはただひとつ。『久遠礼子は敵に回すな』、これだけだ。

「な、何を、このクソガキが！　ふざけたことを言ってやがると、ボコボコにして売り飛ばしてやんぞ、ゴラァ！」

そう言って、レイコの腕を掴んだチンピラ。

よし、戴き！

「助けてください！　強盗誘拐犯です!!　暴行と、誘拐して売り飛ばすと宣言されて、無理矢理引きずられています、警備兵を呼んでください!!」

「「「……え？」」」

私の大きな叫び声に、呆気にとられた様子のチンピラ達。

いや、どうして驚くのかな？　白昼堂々と暴力と誘拐、違法奴隷として売り飛ばすと宣言されれば、助けを求めるのは普通でしょ？

そりゃまぁ、物事がよく分かっていない、身寄りも後ろ盾もない孤児とかであれば、助けを求めてもみんなに無視されるということはあるかもしれない。多くの人は、関わっても何の得もなく、逆に自分も巻き込まれて酷い目に遭いそうなことには関わりたくないだろうからね。

それに、そもそも孤児達は一般市民に助けを求めたりはしない。

彼らは、一般市民には何も期待していないから。

いくら『比較的善人が多い街』とはいえ、孤児と自分の安全を比較すれば、そりゃ自分の方が大事だろう。小銭を寄付するのとは、わけが違う。

……うん、残念なことではあるけれど、そういうものなんだ。

でも私達は普通の事業主とその従業員だし、身なりもちゃんとしているし、ごく普通の一般市民、しかも4人中3人が少女で、残りひとりも幼い子供だ。その助けを求める叫びが無視されることはないし、誰が見ても『普通の家庭の子供を誘拐しようとしている、チンピラ3人組』なのだから、警備兵を呼びに走る者だけでなく、腕に覚えのある者、非力ながらも義侠心のある者達が一瞬の内に周りを取り囲んだ。

「え？　え……、えええ？」

チンピラ達が狼狽えているが、もう遅い。

「あれ、『リトルシルバー』のカオルちゃんじゃねぇか！　どうした!!」

「あ、店長さん！　いえ、突然この連中が、うちの経営権を寄越せ、って……。そして、逆らうとボコボコにして売り飛ばす、とか……」

取引先のひとつである居酒屋の店長さんに声を掛けられたので、再び簡潔に事情説明を……。

「え？　カオルちゃんのとこ、領主様から許可を得てる特別な事業所扱いなんだろ、孤児のための支援事業だってことで、目を掛けて貰っている……。そんなとこに手出しすれば、とんでもないことになるんじゃねぇのかい？

しかも、子供を違法奴隷に、たぁ、とんでもねぇ重罪じゃねぇか……」

はい、説明台詞、ありがとうございます！

「うん、多分。この人達の単独行為なのか、誰かに命令されたのかを確認して、あとは警備兵の皆さんにお任せしようかと……」

「「「えええええええ‼」」」

愕然とした様子の、チンピラ達。

まぁ、ボコボコに、というのはともかく、売り飛ばしてやる、というのは、ただの脅しだったのだろう。子供を脅す定型句だからね、殴るぞ、というのと、人買いに売り飛ばすぞ、というのは。

でも、成人女性に対して『殴る』、『売り飛ばす』と言って、腕を摑んで連れ去ろうとしたんだ、冗談でした、じゃ済まないよ。

「強盗誘拐犯はお前達か！」

「え……、ち、違う、俺達はただ……」

「あ、警備兵さん、コイツらです！」

街の中心部近くなんだから、警備兵の詰所は近い。誰かが知らせに走ってくれたので、警備兵はすぐにやってきた。

総勢6人。……ちょっと多すぎないか？

「カオルちゃんじゃないか！　コイツら、カオルちゃんに手ぇ出しやがったのか！

……縛り首だな」

「「「ええええええ!!」」」

初っ端からそんな台詞を吐いて飛ばしまくっている指揮官は、私の顔見知りだ。

縛り首というのは脅しに過ぎないだろうけど、ま、ただでは済まないよねぇ。

何せ私は、私財を投じて元孤児院の建物を買い取り、実際には営利事業ではあるけれど、一応は慈善事業だと思われるような活動をしている、どこかのお嬢様だ。しかも、領主様からの覚えもめでたい。

そして勿論、警備隊本部と警備兵の詰所には付け届けをして、色々とお願いをしてある。子供達が困っている時はよろしくお力添えを、とか、色々と。だから、警備兵のうち何人かは私と面識があるわけだ。

また、私とレイコは幼く見えても既に15歳、成人であることも伝えてある。

なので、この件は『領主様が目を掛けている慈善事業家の成人女性が、強盗誘拐犯に襲われた』

ということに……。

うん、大事件だ。とても、チンピラ達が考えているような、『孤児に少しちょっかいをかけて小銭を巻き上げようとしただけ』とかいう、少し説教されたり、悪くても数日間牢に入れられるだけ、なんてことで済むわけがない。

「コイツらに指示を出した黒幕がいるかどうか、徹底的に調べてくださいね」

「任せとけ！」

うん、こういう世界で『徹底的に調べる』というのは、まぁ、厳しい訊問のことだよね、常識的に考えて……。

「あと、取り調べの結果は教えてくださいね」

「ああ、勿論だ。敵の存在は把握しとかなきゃならないからな。ま、カオルちゃんが対処するまでもなく、当然俺達が処分するけどね」

「ふふ、よろしくお願いします」

「おぅ！」


斯くして、茫然自失のチンピラ3人は警備兵達に引っ張られていき、街は平穏を取り戻した。

そして、街のチンピラや犯罪者達の間にも、この件はすぐに広まるだろう。情報に疎い犯罪者は長生きできないからね。

よし、これでミーネとアラルの安全性がかなり向上したな。

あと1～2回馬鹿が現れれば、単純な粗暴犯については殆ど心配せずに済むようになるかな。

でも、世の中、悪い奴らは大勢いるからなぁ……。

＊　　＊

「勝手に孤児院跡に住み着いている孤児達というのは、お前達か！　儂がここに住めるよう口を利いてやるから、儂の言うことを聞け！」

来たあぁ～！

街でチンピラに絡まれてから数日後、今度はうちに変なのが来た。

まぁ、見た目は別におかしくはない。あまり裕福そうには見えない、商人っぽい男がひとりだけ。

どうやら、荒事というわけではないらしい。

でも、応対に出た私に掛けられた最初の言葉がソレって、『変なの』としか言いようがないよねえ……。

「あの～、どちら様で……」

「儂は、ゴノシエル商会の番頭、ダルリッシュだ」

あ～、情報に疎い、中小商家の人かな……。

「この件は、あなた個人の行いですか？　それとも、商会長さんの御指示で？」

「商会長は、このような些事には関わられることはない。お前達の面倒をみてやるのは、儂だ」

はいはい、番頭の小遣い稼ぎか、ある程度金儲けの目途が立ってから報告して手柄にするつもりか、そんなトコか……。

商会長や大番頭はうちのことを知っているのかな？　それとも、コイツだけが何も知らずに勝手にやっているのかな？

ま、どっちにしても、大差ないか。

「お断りします」

「ふん……」

ダルリッシュとかいう番頭は、私の言葉に、別に驚いたり怒ったりするような様子もなく、こっちを馬鹿にしたような眼で見ている。

まぁ、あんな言い方をして、黙って従うと思う方がどうかしてるか。多分、会話の主導権を取るためにフカしただけなんだろう。……あるいは、余程こちらを甘く見ているか。

おそらくコイツは、何人かいる番頭のうちのひとり、それもその中では下の方に過ぎないのだろうから、そんなに権限や情報を持っているわけじゃないのだろう。そうでないなら、ここは私達が正式に購入したことや、領主様と話がついていること等を知っているはずだ。

つまり……。

雑魚、ってことだ。

「お前達が売っている干物や燻製の作り方を教えろ。そうすれば、うちで働かせてやる」

既に自分達で稼いでいるのに、何が悲しゅーてこいつにピンはねされなきゃならないんだよ……。

しかも、多分給金なんか貰えずに朝夕の二食を食べさせてもらえるだけの、丁稚奉公扱いがいいところだろう。

いや、丁稚奉公は、仕事を覚え、そのうち手代や番頭を経て独立できるという夢がある。そりゃ、狭き門ではあるけれど……。

でも、仕事に関する技術や知識はこっちの方が上で、既に独立して稼いでいるというのに、どうして今から丁稚奉公、それもおそらく製法を完全に盗まれた途端に放り出されて、『うちの製法を真似て作ったら警備兵に突き出すぞ！』とか言われるのがほぼ確実なところで働かなきゃならないんだよ……。

完全に、成り上がりルート逆行じゃん。ならば……。

「製法を教えてもらいたければ、契約金として金貨５００枚。それと、売上金の１割を戴きます。勿論、商業ギルドに保証人として仲介してもらっての正式な契約を結んでいただいて、ということで……」

金貨５００枚といっても、大金のように思えても日本円ではたかが５０００万円相当だ。

この技術で、王都を始め各地の大きな街で、そして他国の主要都市でも支店を出して大きく商売すれば、干物や燻製の市場占有率がかなり高くなるだろう。そして有名な目玉商品があれば、他の商品の販売においても有利になる。そう考えれば、そう高い金額でもないだろう。

何せ、原料の魚は漁港で仕入れれば、そう大した原価率にはならないからね。それに、仕入れるのは別にこの街だけではなく、他の港町や、小さな漁村とかで安く買い入れられるし。

そして、それらの仕入れ場所の近くに、加工場所を作ればいい。

……でも、この男にとっては、ただの孤児だと思っている私達にそんなお金を払うつもりなんか欠片もないよねぇ。

「はっ、何を世迷い言を……。おとなしく言うことを聞かないというなら、ここから追い出して、人買いにでも売り飛ばしてやるぞ！」

……うん、知ってた。

「私達は、不当な要求に従うつもりはありません。……ということは、自動的に、あなたは私達を『人買いに売り飛ばす』と宣言されたことになります。なので、正当防衛として……」

ぱちん、と私が指を鳴らすと、レイコ、ミーネ、アラルの3人が現れた。それぞれ、私が作った木剣を手にして……。

「え……」

そして、番頭とやらをボコボコにしてふん縛（じば）った。

いや、腹の出た素手のおっさんひとりと、肉体年齢15歳の女の子ふたりプラス容赦を知らない子供ふたりじゃ、さすがに勝負にならないよ。しかも、こっちは全員が木剣装備。

……私の分も、レイコが手渡してくれたので。

「じゃ、レイコは見張りをお願い。ミーネとアラルは、警備兵の詰所に行って、『言うことを聞かないと、人買いに売り飛ばす』と言って脅迫する男が来た、って届けて。うちの名を出して、士官の人に聞いて貰うのよ。

私は商工ギルドに行って同じことを届けた後、ゴノシェル商会とやらに行って、これが商会としての指示によるものなのかどうかを確認してくるから」

「うん、了解！」

「分かった！　じゃ、行ってくるね！」

「え……。ま、待て！　やめろ、行くな！　待てえぇぇ〜〜!!」

しかし、既にミーネとアラルは飛び出していった後。

「ふ、ふん！　孤児の言うことなど、誰が信じるものか！　お前達に襲われて、金品を要求されたが拒否したところ、私を嵌めようとしてありもしないことを、と言えば済むことだ。そうすれば、逆にお前達の方が犯罪者として捕らえられて……」

うん、お馴染みのパターンだ。でも……。

「いや、だから、私達はここを不法占拠している孤児じゃなくて、ちゃんと大金を払ってここを買い取り、領主様に届けを出して営業している、普通の事業主ですよ。商工ギルドにもちゃんと加盟していますし……。そして私とこの子、レイコは15歳で、成人です。

つまりあなたは、正式な商店に押し掛けて非常識で一方的な要求をし、それを拒否されて怒り、腹いせに成人女性ふたりと子供ふたりに対して『人身売買のために捕らえる』と宣言された凶悪犯、ということになります。

そして、それがゴノシェル商会としての行動であり、商会長の命令によるものかどうかを、警備兵達にじっくりと調べていただくことになります」

「え……」

さっきから、『え……』ばかりだな、この男の台詞……。

「や……やめろ、やめてくれ！　そ、そんなことをされたら、大旦那様に……」

知らんがな〜。

何だか、真っ青な顔をしているけれど、別に思わぬトラブルが発生したというわけじゃないだろうに……。

そう、自分の判断で、自分が行動した結果に過ぎない。だから、動転することも、後悔することもないはずだよね。

もし私達が、本当に孤児の集まりだったなら、力尽くで食い物にするつもりだったんでしょ。アテが外れたからって、泣き言を言っても仕方ないじゃん。自分の知識不足、能力不足で勝負に負けただけなんだから、負けが決まった後で、『今の、なし！』とか言って喚いても、誰も相手にしないよ。

こういう世界は情報の伝達や拡散が遅いし、途中で内容がとんでもなく変化したりするから、そういうのも含めて、うまく立ち回らなきゃならない。ろくに情報も集めずに、自分の勝手な思い込みで馬鹿をやると、こういうことになる。

別に、みんなが何でも知ってなきゃ駄目、ってことじゃない。情報に疎くても、誰に文句を言われることもなく真面目にやっていれば、何の問題もなく堅実に稼げる。

つまり、堅実にやるのではなく勝負に出るなら、情報と分析力が必須、というわけだ。碌な能力もないのに欲をかくと、こういうことになる。

「じゃ、行ってくるね！」

喚き続ける商人(おっさん)を残し、商工ギルドとゴノシェル商会へ。

そして、その双方の窓口と売り場で、大きな声で叫んでみた。

「すみませ～ん！　『リトルシルバー』の者なんですけど、ゴノシェル商会の番頭がうちに来て、無理難題を強要して、言うことを聞かないと人買いに売り飛ばす、と言って脅迫してきたんですけど、それってこの街の商工ギルド加盟店としては普通のことなんですかねぇ！　一応、警備隊に遣いを出して助けを求めてるんですけど！」

うん、どちらでも、大騒ぎになった。

で、捕まって色々と問い質(ただ)されると面倒だから、さっさと引き揚げた。警備兵の相手をレイコだけに押し付けるのは悪いから、早く帰らなくちゃね。


その後、商家から1回、地回りのチンピラが1回と、計2回ほど似たようなのが来たけれど、さすがにその後は来なくなった。

商家の方は、何らかのネットワークで情報が流されたんだと思う。もしかすると、商工ギルドが少し動いたのかもしれない。田舎町の商店会程度の組織ではあっても、さすがにアレは看過(かんか)できなかっただろうからねぇ……。

そして、チンピラ達の間にもちゃんと情報が伝わるのには感心した。

ま、チンピラや犯罪者達の中にも、孤児だった者や、ここが孤児院だった時に世話になった者もいるだろう。だから、孤児のためにやっている事業に手出しすることを良しとしない者たちもいるはずだ。

……とにかく、アレだ。

『リトルシルバー』は、この街での地歩を固めた、ってわけだ。他の商店、一般の人達、そしてチンピラ業界に対して。

もう、余程の馬鹿か自信家以外は、うちに手を出そうとはしないだろう。……表立っては。

今はまだ、うちには危険を冒してまで手に入れたいと思うような魅力はない。

今はまだ、ね。

第五十三章　レイコ

香（かおる）、……いや、『カオル』は、変わってないなぁ……。

まぁ、私の方はあれから何十年も経ったけれど、カオルの方はまだ、体感的には5年も経っていないか……。

歳を取って、おばさんになり、おばあさんになり、そして人としての一生を終えた、私。

勿論、加齢と共に考え方や感性も次第に成熟し、……そして磨（す）り減（へ）り、枯れた。

でも、それらは全て、肉体の老化と自分の立場、周囲の者たちからの扱い、……そして魂と精神の摩耗（まもう）と疲弊（ひへい）によるものだ。

何十年も使われた機械が磨り減り、傷み、錆（さ）び、性能が劣化し、故障や不具合だらけになり、時代遅れのぽんこつと化す。ごく普通のことであり、避けることのできない必然。

……しかし、そこに天才技師（かみさま）が現れて、新品のボディに魂と精神（ソフトウェア）を移し替えてくれたなら？

おまけに、くたびれて内包エネルギーを使い果たしかけた魂に、エネルギーを充填してくれたら？

充填率、120パーセントくらいに。

若く元気な肉体、エネルギー満タンの活性化された魂、そして賦活化（ふかつか）された精神体。

更に、神様がオマケしてくれたのか、学生の頃から20代前半頃までの記憶をまるで昨日のことのようにはっきりと思い出すことができた。その結果……。

「まるで、カオルと別れた頃に戻ったみたいだ……」

そう、普通に記憶が薄れているそれ以降のことは、『そういう記憶がある』というような認識であり、今の自分のリアルタイムは、『あの頃』のような感じに……。

これは、カオルとの付き合い方に齟齬(そご)が生じないように、神様が気を利かせてくれたのかな？

そういう風に、精神体を活性化させる時にうまく細工してくれたのか……。

そして、芸が細かいことに、最後まで連れ添ったあの人のことや、子供、孫、ひ孫達に関する記憶も、ちゃんと鮮明にしてくれていた。

……なかなか、気が利くじゃないの。

ほんのちょっぴり、カオルを巻き込んだことに対する怒りを軽減させてやってもいいかな……。


しかし、恭子(きょうこ)がいないのが痛いな……。

私達は、３人揃ってこその、『ＫＫＲ』。ひとり欠けると、バランスが悪い。

普通の、今風の女の子だった恭子、トラブルに巻き込まれるの担当。その大半は、他の子を助けようとして巻き込まれるのだけど。

大学の時には、パワハラ、セクハラ、そしてストーカーの被害に遭った女学生を見たら、とにかく突っ込んでいった恭子。そして当然、相手の男と揉(も)める。

騒ぎが大きくなり、恭子が典型的な『巻き込まれただけの、可哀想な女の子』として周囲の人達の同情を集め、……そこでカオルが登場する。口八丁で相手を完膚無きまでに叩き潰し、再起不能にするために……。

最初からカオルが出ると、その目付きから、カオルが悪役だと思われる可能性がある。なので、恭子を助けるため、というポジションでないと駄目なんだよなぁ……。

そして私は、隠し持った3台のマイクロレコーダーと超小型カメラで、こっそりと証拠の確保。

その後、仲良くなった学生課の事務のお姉さんに、『かくかくしかじか。警察に通報しようかと思っているのですが……。それと、雑誌社に勤めている従姉妹に相談しようかと……』と話せば、なぜか数日後には解決しているのであった。

従姉妹は、確かに雑誌社で働いている。受付・案内嬢として。

……うん、嘘は吐いていない。全く。本当に、『相談しようかな？』と考えてはみたから。相談しても、何の意味もないけれど……。

とにかく、裏方担当の私や、誠実でいい子なのに目付きのせいで誤解されやすいカオル……でも、怒らせたり敵に回したりすると怖いから、あながち誤解でもないけど……だけじゃあ、ダーク過ぎる。

それをうまく中和して、私達『香・恭子・礼子』がダーク・ヒーロー、いやいや、ダーク・ヒロインに見えないようにしてくれていたのが、裏表のない、明るく典型的な陽キャラ、……に見える、恭子なのだ。

クラスにひとりくらいは居る、ムードメーカーの、人当たりが良くて正義感が強い、男女の別なく好かれそうな素敵な女の子。……に見える、恭子。

私やカオルとつるんでいたんだ、普通の女の子のワケがないだろ……。

とにかく、言えるのはこれだけだ。

『西園恭子を怒らせるな！』

いや、私とカオルも陰でそう言われていたことは知っている。

……でも、違うのだ。

私とカオルは、怒らせても致命傷で済む。

……それを『済む』と言っていいのかどうかは知らないが。

しかし、恭子を怒らせると、そんな生易しいことで済んだりはしない。

恭子に、悪意はない。……多分。

でも……。

せかいがはめつする。


……いや、ま、怒らせなければ問題はない。『当たらなければ、どうということはない』というのと同じだ。

しかし、恭子がいないと、やはり問題がある。

私とカオルだけだと、どんどんダークサイドに向かってしまうのだ……。

なので、今はカオルがやることにあまり口出ししたりしないようにしている。下手にオーバーブーストがかかると大変なことになるかもしれないから……。

それに、私はまだこの世界に関しては素人だ。しばらくは、カオルのアシストに努めよう。

早く恭子が来てくれれば、というのは、思ってはいても、願っちゃいけない。

それは即ち、『恭子が地球で死ぬ』ということなのだから……。

まぁ、私と同じく、既に充分生きて、人生の『元は取った』だろうけど。

作製チートがあるカオルと違って、魔法チートの私は『相手が、見たことを他者に伝えることができなくなる場合』を除いて、あまり人前で能力を使うわけにはいかない。

まぁ、こっそりと水魔法や火魔法を生活や製品作製のために使うのは構わないだろうけどね。

とにかく、今はカオルと一緒に、地歩固めと子供達の育成だ。

子供や孫、ひ孫達の相手をしていた頃を思い出す。

子供の世話や相手は、慣れたもんだ。また何人か育てることくらい、どうということはない。

カオルも、以前孤児達の世話をしていたらしいから、そのあたりは慣れているのだろう。ならば、余裕で……。


「……なのに、どうしてそんなにだらしない生活してるのよ……」

「いや、以前も、炊事や掃除洗濯は、全部子供達が……。それに、ミーネとアラルに自活能力を身に付けさせるために、敢えて……」

「黙りなさい！」

いかん。育てる子供は、ふたりではなく、３人だった……。

＊　＊

「一応の地歩固めはできたし、子供達だけで町に行っても、そこそこの安全は確保できると思う。もう『孤児』ではなく、事業主に雇われた店員だからね。官吏や警備兵に護られる対象だし、手出しをしたなら、普通の暴行傷害か営利誘拐で、重罪だからね」

「うん、それに、カオルが持たせた防犯器具があるし……」

「あはは……」

カオルが言う通り、ミーネとアラルのことを、後ろ盾も護ってくれる者もいないただの孤児だと思う者は、もうこの街には殆どいないだろう。そしてまだそれを知らない者や、他所からやってきたばかりの者がちょっかいを出そうとしても、周りの者が止めてくれるだろう。

そもそも、既にふたりは孤児に見えるような恰好はしていない。誰が見ても、普通の家庭の子供か、商店の使い走りの小者（下級の奉公人）だ。チンピラが手出ししても咎（とが）められない、『人間の範疇（はんちゅう）にカウントされない者』じゃない。

これで、ふたりだけで街に商品を運んだり、使いに出すことができる。

……それは即ち、私とカオルのふたりで色々なことをする時間が取れるということだ。

「……第2段階開始、かな？」

「うん、第2段階、開始だねぇ」

私の『振り』に、にっこりと微笑んで、そう答えるカオル。

ここはひとつ、重要なアドバイスをしておこう。

「子供の前でその表情を見せちゃ駄目よ。絶対、泣き出すから……」

「う、うるさいわっ!!」

うん、こういう忠告をした時のカオルの返事は、いつも同じ。

変わらないなぁ。ずっと昔から……。

第五十四章　野　望

「野望、魔望、元気予報！」

「わぴこか発動機会社か、どっちゃねん！」

うむうむ、ネタが分かって突っ込んでくれる者がいる、幸せよ……。

「いや、そろそろ『裏の稼業』の方も始めようかな、と……」

呆れた様子のレイコに、そう告げる私。

うん、『表の稼業』の方は、既に限界に達している。

いや、行き詰まっているわけじゃなくて、15歳の身体の女性ふたり、9歳の少女ひとり、6歳の少年ひとりじゃ、できる作業量に限界がある。

しかも、私達は別にブラック企業というわけじゃないし、辛い思いをしてまでお金を貯めなきゃならないわけでもない。

……そりゃ、生活に必要なお金は稼がなきゃならないけれど、それくらいは今の状況でも充分稼げている。持ち家だから家賃が掛からないし、免税だというのが大きいからね、うん。

魚介類や海藻類の加工製品、玩具や民芸品等の売り上げは順調だし、畑の方も、そのうち収穫できるようになるだろう。私の『生長促進ポーション』を撒けば、豊作は間違いないし。

更に、裏の崖をアイテムボックスへの収納で削って石段を作り、程良い高さで崖の内側に大きな窪みというか、4～5畳くらいの広さのスペースを造った。

……うん、『釣りができる場所』を造ったわけだ。

崖の内側に抉れた場所なので、雨の日でも釣りができる。

雨天であることが釣果に影響するかどうかは分からないけどね。

釣りは、水温や潮の満ち引きとかも含めて、色々な要素が影響するらしいけど、よく分からない。雨で海面の塩分濃度が薄まったり、音がしたりするのも影響するのかなぁ……。

ま、とにかく、魚も市場で買うだけじゃなく、自分達で食べる分は自前でそこそこ用意できるってわけだ。

寄生虫とか毒素とかは、以前創ったブレスレットがあるから安心。

あ、ミーネとアラルには、ここでは毒持ちの魚や寄生虫がヤバそうな魚も問題なく食べられるけれど、他所では同じような食べ方をしないように厳しく躾けなきゃ。命に関わるから、そこはしっかりとしないとね。……間違っても、他所でフグの肝を食べたりしないように……。

「カオル、それは危ないよ。ここでも、毒のあるやつは食べないようにした方がいいんじゃないの？ついうっかり、とかなっちゃったら、取り返しがつかないでしょ……」

「う～ん、やっぱり、そうかなぁ……」

自分達はともかく、子供達の安全を考えれば、『ここでは美味しく食べられるけれど、他所で食べたら死ぬ』なんて食べ物に慣れさせるのは、やはり危険過ぎるか。

仕方ない、素人料理でフグ三昧計画は、断念するか……。

「そういうのは、地下の秘密基地で、ふたりだけで食べましょう」

「あ、やっぱり？」

レイコも、『絶対に安全なフグ料理』は食べたかったたか。

でも、噂に聞く、『毒で、ちょっとピリピリ痺れる感じが堪らない』とかいう常軌を逸した極限の世界は……、って、私のポーションとかレイコの治癒魔法とかがあれば大丈夫なのでは？

と思ってレイコの顔を見ると、笑っている。……多分、私と同じことを考えているな……。

とにかく、そういうわけで、商品の製造も売れ行きも順調なんだけど、この人員では、もうこれ以上商品を作れるだけの労働力がないというわけだ。

ブラックなのは、レイコの腹の中だけで充分。我が『リトルシルバー』は、ホワイト企業なのである！

……というわけで、『表の稼業』は、しばらく現状維持。パクリ商品が現れて業績が悪化したら、その時にまた考えればいい。

なに、新商品のネタはたくさんあるんだ、パクられても、どうってことはない。それに、加工品の品質や、工芸品のデザインとかバリエーションでは負けないしね。

そして、『裏の稼業』だけど……。

別に、殺し屋とかを始めるわけじゃない。

……いや、私達なら、やれそうではあるけれど……。

そうじゃなくて、今のような『小売りの店相手の、小規模な卸し売り』ではなく、もっと規模を大きくした商売を、あまり目立たないようにやろうというわけだ。

規模を大きく、とは言っても、大量に、というわけではなく、そこそこ単価が高いものを、そこそこの量扱う、という感じで。

あまり目立つと、また金やノウハウ狙いの連中がやってくるからねぇ。

今はまだ来なくても、私達が『手に入れるのに、多少の危険を冒すだけの価値がある』と思われれば……。

やはり、未成年に見える者しかおらず、最年少の者以外は全員が少女、というのは、圧倒的に狙われ易いよねぇ……。

そういうわけで、一応、密かに始めるのだ。

……まぁ、どうせそのうち情報が広まるだろうけど、それまでに何らかの対策を立てておけば大丈夫だろう。

で、どうしてそんなことを始めるのか、というと……。

そう、今のままでも充分黒字だし、いざという時には私の『昔の稼ぎ』である金貨がアイテムボックスにあるし、ポーション容器で稼ぐこともできるし、……そもそも、私とその関係者が、病気や大怪我で急に大金が必要に、とかいう事態になることはあり得ない。

なのに、色々と画策している理由。

それは、アレだ。

『力が欲しいか……』ってヤツだ。

私ひとりなら、必殺、『何か揉めたら、すぐ逃げる』という技が使えた。

でも、大所帯になると、そういうわけにもいかなくなる。

そりゃ、物理的には可能だろう。必要な物は全てアイテムボックスに入れて、拠点を爆破して証拠隠滅、悪党共の手には何も渡らないようにして、みんなを連れて逃亡、とか。

でも、せっかく築いたものを全て放棄して、悪党に負けて逃げ出すというのは面白くないし、次々と同じことを繰り返すのは嫌になるだろう。それに、そういう状況だと、悪党や権力者に目を付けられるのを恐れて、何もできなくなる。

……そう、私のポーション作製能力も、レイコの魔法の力も、せっかくセレスが与えてくれた力をこの世界の人達に何の恩恵を与えることもなく眠らせて、ほんの少し自分達の為に使うだけで終わらせるというのは、私達の本意じゃない。

これが、セレスがこの世界の人々を管理する本当の女神様で、『人間に、不用意に神の恩恵を与えるものではありません』とか言うなら、話は違う。

でも、セレスは、ただこの世界の歪み……人々の正しい成長をねじ曲げるもの、とかいう抽象的な概念ではなく、そのものズバリの、文字通りの『次元空間の歪み』……を見張り、修復しているだけであって、人間とは何の関係もない、部外者だ。

だから、この世界の人達とは全然関係のない、別件で貰った私達の能力を、私達がこの世界でどう使おうが問題ない。セレスはそんなこと気にもしないだろう。

……というか、事実、本人がそう言っていた。

そう。なので私達は、この世界で、新世界の神に……、なるつもりは全くない。

そんなの、まともな人生にはならないだろうし、どうせすぐにハイエナ共に集られて、最終的には食い散らかされて殺されるのが関の山だ。

なので、私達が目指すのは、『簡単に食い物にされることがない、そこそこの自衛能力……私とレイコの個人的な戦闘力という意味ではなく、立場的な……を手に入れること』だ。

チンピラや小悪党だけでなく、金持ちの有力者、役人、そして下級貴族とかからも、下手に手出しできない立場。

……そう、具体的に言うと、有力商人、ってとこかな。

貴族とかには簡単になれるものじゃないし、そんな、権力と人間関係や派閥闘争バリバリの世界は願い下げだ。

それに、上下関係がはっきりしている貴族なんかになったら、上の命令を聞かなきゃならないし、義務の強制力が強すぎて、問題外だ。

そもそも、歳を取らない私とレイコじゃ、すぐに怪しまれて、大変なことになる。

不老長寿とか、金持ちや権力者が一番食い付くネタじゃん……。

せめて、20代とかなら、『若く見える』ってことで、10年か20年くらいは保つかもしれないけれど、この大陸の人達から見れば12～13歳くらいに見えるこの姿じゃ、数年しか保たないよねぇ、

『あそこの姉妹、全然成長してないんじゃないか？』って怪しまれ始めるまで……。

うん、吸血鬼の一族が、子供を仲間に加えるのを避ける理由がよく分かるね。子供がいるとすぐに怪しまれるから、引っ越す頻度が多くて面倒だよねぇ。

そういうわけで、『同じ相手と頻繁に会う』だとか、『家系が厳格に管理される』だとかいうのは、絶対に駄目。街外れに住んでいて、たまに買い出しに来る、という程度でないと。

少しくらいなら服装や化粧とかで誤魔化せるし、街へ出るのは子供達に任せてもいい。

そして、ある程度年数が経てば、しばらく他国に行って、その後『カオルの妹だ』とか、『娘だ』とかいって戻ってくるとか……、って、いやいや、そんな先のことを考えても仕方ないか。今は、とりあえず密かに力を蓄えて、ある日突然、有力商人として表舞台にデビューすることを目指そう。

最初のうちはこっそりとやるのは、力がない時に美味しそうな商売をやっていたら、絶対に集ってくる連中がいるからだ。なので、私達がやるのは……。

商売の儀、あくまで陰にて、己の器量伏し、お金いかにても稼ぐべし、ってやつだ。

……死して屍、拾う者なし。


そしてこの、『有力商人』ってのが、ミソだ。

決して『大商人』ではなく、『有力商人』。

大きな店と蔵を建てて、大量の商品を、なんて面倒なことを抱え込むつもりはない。

小規模だけど、その扱う商品や影響力から、無下に扱えない商人。

大店(おおだな)や貴族からの覚えもめでたく、その方面でのコネや知り合いが多く、……そして余計なちょっかいを出すと大火傷(おおやけど)確実。そう思わせるような立場に、ってことだ。

そういうポジションに納まれば、多少の『怪しいこと』や『不思議なこと』、そして人々の助けになることをやりながら普通に暮らすことができるだろう。

「よし、まずは、中堅商人と関係を持つための商品を用意しよう。その後、徐々に大店や下級貴族に食い込むための商品を準備。

始めは基本的なもので、徐々(じょじょ)にこのあたりにはない奇妙な商品を……」

そして、ふたりでおかしなポーズをとって、叫んだ。

「「徐々に、奇妙な商品！」」

うん、絶好調！

「まずは、異世界内政チートの定番、塩と砂糖と香辛料！　これは、能力で造るよ。

小麦粉やトウモロコシ等の、ここでも普通に出回っている嵩張(かさば)るものは、能力で造ると出所や輸送手段等を追及されるとアレだけど、簡単に運べるものが少量なら、どうとでも誤魔化せるからね」

「……砂糖は、現物は避けて、甘いお菓子、嗜好品で行った方がいいのでは？　加工済みのやつで。

砂糖そのものだと入手経路を知ろうとして集(たか)ってくる者が多いだろうから、砂糖を少量使って作ったお菓子、という形の方が、『仕入れルートを寄越せ』とかいうのが湧きにくくなるんじゃないの？　それだと、お金になるのは『物資』じゃなくて『技術』だから」

私の内政チート案に、そんなことを言い出したレイコ。

「なるほど……」

「塩は、うちで料理や加工品とかに使う分だけにしましょ。権利関係がガチガチっぽいし、うちの加工品に使うだけならばともかく、売りに出せば絶対に揉めそう……。

それと、カオルのポーションで『無から出す』というのは自然の理に反するから、使わずに済む時は使わない方がいいわよ。塩は海水から抽出しましょう」

「え？　でも、レイコの魔法で一気に大量の海水を蒸発させると、塩化マグネシウムがそのまま残ったり、多量の水分を含んだ温かい空気が上昇気流となって、局地的な天候の急変を……」

「収納で分離しましょう」

「なるほど……」

「香辛料は、高価でごく少量のみ、よね。こんなの大量に扱えば、悪党ホイホイだし……。あくまでも、商家や貴族を釣る餌としてのみ使いましょう。普通に出回らせると、他領の領主、王都の貴族、他国の商人、その他広範囲から色々と集まってきて、収拾がつかなくなっちゃうわよ」

「なるほど……」

「この辺りにはない、原料も価値も不明なもので、普及しても問題がなく、美味しい料理が増えると私達も嬉しいもの。……つまり、醤油、味噌の類いはどう？　地下で仕込めばいいし、ちょっと他の者には真似できないだろうし、こんなわけ分からないものを狙う者もいないでしょうし……。

勿論、製法はちゃんと覚えてきてるわよ。最初の麹は、カオルに出してもらわなきゃならないけどね。カオルの能力のバックがセレス様なら、麹くらい地球から調達してくれるでしょ」

「なるほど……」


いかん、さっきから私、『なるほど』としか言っていない！　便利過ぎるぞ、レイコ！

ここは、私もアイディアを出さないと……。

そうだ、異世界生産チートの定番と言えば、これだろう！

「あの、マヨネーズ……」

「マヨネーズは、卵が怖いからダメ。現代日本以外の卵は、基本的に加熱せずに生で食べちゃダメだよ。サルモネラ菌が大量に付着している確率が高いからね。あれは、卵を生で食べてもまず大丈夫、という日本が異常なだけだから。

それに、殺菌密封技術も冷蔵庫もない世界だと、すぐに傷むでしょ。高価だからちびちび使って消費期限オーバーとか、衛生観念が低いとか、色々とあるし……。

それに、充分に攪拌(かくはん)してうまく混ざっていればある程度日保ちするけど、どうせすぐに粗悪な模倣品(もほうひん)が作られて、いい加減な作り方のやつが大量に出回って食中毒患者多発、とかになりそうよ。

それらの責任を私達に押し付けられたら、堪(たま)ったもんじゃないわよ。そういうのは、ちょっとマズいでしょ？」

なるほど……、って、そりゃ、『ちょっとマズい』じゃ済まないだろ……。

くそ、鉄板の『マヨネーズ無双』がダメだとは……。

「日本酒……」

「造るの、どれだけ大変で技術と設備が必要だと思ってるのよ……。

良質の水、酒造適合米、米の研磨、麹、酵母、温度管理、その他諸々……。

それに、もし必要な物が全部揃っていても、どうせ失敗するわよ。腐らせたりして……。

カオルの能力で少しだけ造るならともかく、自力生産は不可能よ。他所からこっそり運んだことにするには、重すぎるし。この世界の容器は脆弱(ぜいじゃく)すぎ」

くそ。まぁ、自分達用に、ポーションとして少し造ろう。

いいんだよ、前世では既に22歳になっていたし、ここでは成人年齢は15歳だし、私は15歳の身体で転生してから既に5年……いやいや、80年近く……いやいやいやいや!!

とにかく、私はもう立派な成人だし、そもそもここでは飲酒年齢の制限なんかない。

うむ、他に、いい案は……。

「梅酒！」

「ブランデーで造るのはいいかもね」

おお、やっと採用された！

「とりあえず、眼の色変えて形振り構わず奪い合い、とか、入手ルートを奪うためには殺人も厭わない、とかいうヤバめのは無しで、そこそこ中堅商家に相手して貰えそうなものを用意しましょ。香辛料は、種類を少し多めにして、それぞれの量は少なくして。

そして、ある程度の信用を得て、大店や貴族に紹介してもらえるくらいになれば……」

「「必殺技を出す!!」」

そう、その段階で、強力な商品を出すのだ。

「じゃ、そういうことで！」

うむ、とりあえず、それでいこう。

＊　＊

「え？　あ、しばらくお待ちください！」

うむ、今日はレイコとふたりで、販路開拓だ。

ミーネとアラルは、家でハング達の世話と畑仕事。今日の取引先新規開拓は『裏稼業』の方だし、営業はあのふたりにはまだ早い。

そして、『売り物』のサンプルを持ってやってきた、この街の中堅商会。

普通であれば、この大陸の人達の目には12〜13歳くらいの未成年者に見える私達が飛び込み営業に来ても適当にあしらわれるだろうけど、既に色々なことでリトルシルバー（うち）はある程度名が知られているから……いい意味でか悪い意味でかは知らないけれど……、私達の相手をしてくれた人は、自分の判断で追い返すのを躊躇ったらしい。

うん、ちょっかい出してくれた商人様々だな。

そして呼ばれてきた上の人は、最悪の事態を恐れたのか、私達を奥の商談用の部屋へと通してくれた。

……特別扱いだな。いや、別に嬉しくはないけどね。

「……で、商品をお売りになりたいと？　しかし、うちでは仕入れは大量に行っておりますから、僅かな量の野菜とかを持ち込まれましても……。もっと小さな商店か、小売りの八百屋へ持ち込むとか、あるいは市場で自分達の手で露天売りとかをなさった方がいいのでは……」

私達を相手してくれている手代か番頭と思われる人が、そう勧めてきた。

別に、私達を追い払うために適当にあしらっているというわけじゃないのだろう。この人なりに、現実を踏まえて、私達のためにきちんと教えてくれているのだろう、おそらく。

私達が売るのが今回限りなら、少量であっても買い取ってくれたかもしれない。でも、これから先もずっと商売を続けたいなら、ちゃんとそれに適した売り先を最初から確保した方がいい。そう考えて、最適と思われることを勧めてくれているのだろう。

そうでなければ、わざわざ奥の部屋へ通してそれなりの人が相手してくれるはずがない。

……でも、それは、この人が私達の売り物が『孤児院で子供達が作ったごく少量の野菜か、自分達で釣った数匹の魚』だと思っているからだ。

なので……。

「売りたいのは、こういうものなんですけど。うちの領地……実家から送られてくる……」

そう言って、バッグから見本品（サンプル）を入れた小瓶を取り出して、テーブルの上に並べた。

……非常に精巧なガラス瓶に入れられた、稀少な香辛料の数々を。

胡椒、サフラン、シナモン、ナツメグ、カルダモン、クローブ……。

そう、人間を始めとして、地球と同じ生物が生息しているのだから、当然、それらの植物もあって当然である。そして勿論、このあたりでは非常に高価な品々である。

「…………」

目を皿のようにして、テーブルの上の小瓶を見詰める商人。

……勿論、私がわざと口を滑らせた『うちの領地』という言葉を聞き漏らすような商人はいないだろう。

そう、そのひと言で、私達の身分と立場、そしてこれらの品が『私達だから入手できる』ということがはっきりと伝わったはずだ。……つまり、入手ルートに他者が割り込むことも、奪うことも絶対に不可能、私達を排除すればルートそのものが消滅する、ってことが……。

そもそも、私達に危害を加えた時点で、『現在も繋がりがあり、そして支援してくれている実家の者たち』がどういう態度に出るか……。

12～13歳くらいの可愛い……そうだよ、『可愛い』だよ！……娘達に危害を加えられた、実家の者たちが……。

うん、おかしな真似をされる確率は、かなり低いだろうな。

これらは、全て『セレス工房（ポーション作製能力）』謹製。

仕方ないのだ！　普通の手段で、ここで私達がこんなものを入手できるはずがないのだから。

もし手に入れられたとしても、それはこの店が売るくらいの価格で、だから、何の意味もない。

まぁ、香辛料は『子供達が手に職をつけられるように』とか、それで稼ごうというためのものじゃなく、大商人や貴族に伝手を繋げるための道具に過ぎないから、私的には許容範囲内！

さて、この商人は、どう出るかな？

ま、いい返事が得られなければ、他の店へ行くだけなんだけどね。

「……し、しばらくお待ちください！」

あ、逃げた！

……じゃない、もっと上の人を呼びに行ったな。

まぁ、これは手代や若手の番頭とかではなく、もっと上の者が判断すべき案件だろうから、当たり前か。

呼んでくるのは、大番頭か、商会主か……。

……両方来たよ。

そして、テンプレの遣り取りの後、価格の相談。

売る量は、うちが決めた上限以内で、この店が買いたいだけの量。

当たり前か。うちが売れる分しか売れないし、店が買いたい分しか買わないってのは。

店としては、あるだけ買いたいだろうけど、こっちにも都合がある。

出回る総量は管理しなきゃならないし、上へのコネを作るためのアプローチをこの店だけに絞るのはリスクと効率、その他諸々で不適当。同時に複数のルートでアプローチしなきゃならないんだ、そんなことはできるはずがない。

当然、商会主達も、私達が複数の店と取り引きするつもりなのは承知しているだろう。売り手市場なのに、わざわざ取引相手をひとつに絞ってリスク分散や駆け引きの余地とかを捨てるほどの馬鹿だと思われていなければ。

普通であれば、何とか囲い込もうとするところだろうけど、とっくにリトルシルバー（うち）のことや例の馬鹿な下っ端番頭のこと等を知っているだろうし、さっきの『いかにも貴族の娘らしい私の発言』も、当然伝えられているだろう。だから、なるべく多く、と強く要望されたけれど、あくまでもそれは通常の取引における攻防戦（かけひき）の、常識の範囲内でのことだ。

必死になった商人の『常識』というのは、かなり怖かったけどね……。


……そうやって、3軒ほど廻った。

いや、同じ街であまりたくさんの店と取り引きするのもアレだし、そもそも、面倒臭い。3軒あれば、互いに牽制させて舐めた真似ができないようにするには充分だろう。

あとは……。


「船が欲しいね……」

そう呟く、私。

「豪華客船？　それとも戦艦か空母、海底軍艦とか……」

「何でやねん！　釣り船だよ、釣り船‼」

そう、陸釣りに較べて、船釣りは比較にならない釣果が期待できるのだ！

陸岸からの釣りでは狙えるポイントが限られるし、潮の干満による影響が大きい。それに対して、船が使えると、回遊魚のルートとかも狙えるし……。

そして複数の仕掛けや餌を用意しておけば、狙った獲物が駄目だった場合には即座に対象を変更できる。錨を入れてサビキ釣りをしていたけれどアジが釣れない、という場合には、砂地の方へと場所を移動して、錨は入れずに船を流しながら、餌をゴカイにしてキス釣り、とかね。

季節によっては、船を走らせて、太刀魚釣りなんかもいいかも。低速のトローリングで、竿無しで大きな糸巻きみたいなものを使って、疑似餌で釣るの。イカに似せたゴムみたいなやつに、釣り鉤が仕込んであるやつ。

……釣っている時間よりも、船内で獲物を鉤から外したり、ぐちゃぐちゃになった仕掛けを直している時間の方がずっと長かったけどね！

そして、刺身にして食べたら、すごく美味しかったなぁ……。

「船が欲しいか……」

レイコのヤツ……。

「だから、欲しいって言ってるじゃん！　それに、そんな、『力が欲しいか……』みたいに言われても……」

ううむ、自分で漕ぐのは大変だし、それだと本当に小さなボートになっちゃうし、トローリングができない……。

かといって、動力船を使うのは目立ちすぎる。漁師にもだけど、商人、権力者、……そして軍関係の者に見られたら、一発アウト。絶対に避けなきゃならないヤツだ。

でも、陸岸からかなり離れるなら、急な雨に備えて、小さな船室くらいは欲しい。あと、トイレと。そうなると、クルーザーか、メガヨットか……。

……誰が操縦するんだよ、そんなの！　小型船舶の操縦資格もないのに……。

いや、ここでは免許は要らないけど、操縦するための技術は必要だろう。

くそぅ……。

「持ってるよ、船舶免許。あと、無線と気象予報士資格も」

「持っとるんかい!!」

「こんなこともあろうかと……。まぁ、準備期間、70年以上あったからねぇ……」

「ぐぬぬ……。でも、交信相手がいない無線免許と、気圧配置図も何もない世界での気象予報士資格に、何の意味が？」

「ぐぬぬぬぬ……」

よし、勝った！

……でも、そんなにデカい船は要らないか。

近場で釣るだけなら、スワンボートとかでいいんじゃないかな。あの、白鳥の形をしていて、ペダルで漕ぐやつ！

あれなら、たとえ軍関係者に見られたとしても、まさかそれを軍で採用しようと考えたりはしないだろう。

あんなのが船団組んで攻めてきたら、敵兵、大爆笑だろうなぁ……。

でもアレ、船底が浅いし推進力が弱いから、流れの速いところとか、波やうねりが高いところでは危ないような気が……。やはりアレは、池や湖で使うものなのか……。

それに、女の子としては、やはりトイレは外せないか。そして、丸見えは嫌だから、必然的に

「おかしなのに目を付けられる心配がなく、船室（キャビン）とトイレが付いた、安全で安定性のいい小さな釣り船……、って、ないよねぇ、そんな都合のいいの……」

残念そうにそう呟く私に、レイコが即答。

「あるよ」

「あるんかいっっ！」

本当に、そんなのがあるんかい……。

「海面上に出るのは、舷側の高い小さなボートのみ。そしてその下には、それより大きな水中部分があればいいいんじゃない？」

「アポロノームかいっ！」

「それって、合体した3隻の巨大空母の下に6隻の原潜をくっつけたやつ？　いや、それじゃなくて、そこは海底要塞サルードで……。船底のハッチから海中部分に降りられるようにして、いざという時にはそのまま潜航できるように……」

「知らんわ！　アポロノームも、『小沢さとる』と付けて検索しないと、アンドロメダ級の3番艦しかヒットしないし……」

「古すぎるでしょ、ソレ……」

「そう言うレイコも知っとるんかいっ‼」

何だよ、コイツ……。

「いや、色々と調べるのに、70年以上の時間があったから……」

＊　＊

そういうわけで、釣り船を造った。

……あ、いや、『釣り船のように見える、ポーション容器』を……。

発着場所は、超小型特殊潜航艇で海中に潜って出るしかない非常脱出路とは別に、普通に岩陰から出航できるところを造った。

L字形になっていて、外から見ると浅い窪（くぼ）みにしか見えないけれど、突き当たり部分から右側に直角に曲がった水路が続いており、そこに係留されている。

まぁ、海側からこの岩壁を見る者はあまりいないだろうし、崖の上から見下ろしても窪み部分は見えず、陸岸から崖を伝（つた）ってそこに到達するには、真上からロープで下りるか、ロッククライミングかボルダリングの技術がないと難しいだろう。

……私達は、内側の通路を使うけどね。

ミーネとアラルを乗せる時は、私が少し離れた岩場に作った浮き桟橋……丸太３本をくっつけて、上に厚めの板を張ったやつ……に連れていって、レイコが船を寄せてくるのを待つ、ということにした。勿論、海底はアイテムボックスを使って掘削してあるから、ボートの下の部分が座礁（ざしょう）することはない。

……水が澄(す)んでいるから、下の部分が少し見えるけど……、小さいことは気にしない！

ミーネ達には、『開発中の新型船だから、この船のことは誰にも喋るな』と言ってあるから、問題ない。このふたりが、わざわざ自分達の居場所をなくそうとするとは思えないからね。

船で釣りをするのは、４人揃ってレジャーとして釣る時だけで、夕食のおかずを、とかいう場合は、普通にそのあたりの陸岸から釣る。

釣り用に造った岸壁の窪みの方は、外側から回り込んで行けるように石段状に岸壁に切り込みを作ってあるから、子供達だけでも行けないわけじゃないけれど、それは禁止している。

だって、子供達だけでそんなところへ行かせるのは、危ないからね。石段を作ったのは、地下通路を使って行く私達がそこで釣りをしていても不思議に思われないようにという、欺瞞策(ぎまんさく)のためだ。

子供達があそこで釣りをするのは、私かレイコが一緒にいる時だけ。

ま、あそこは雨の日の釣り場、という感じだ。この辺り一帯、全てが釣り場なのに、天気のいい日にわざわざあんな狭っ苦しいところで釣らなきゃならない理由はない。

よし、これで、畑があって、釣りができて、馬を飼っていて、森で動物を狩れて、色々と自分達で作ったり工事したりのＤＩＹ生活だ。都会の疲れ果てたおじさん達が求める、夢のスローライフ！

『農園天国(The Green Acres)』だね！

「そうかなぁ……」

うるさいわっっ!!

＊　　＊

「じゃ、行ってきま～す！」

「うん、気を付けてね～」

ミーネとアラルが、色々な種類の干物を持って街へと向かった。

もう、ふたりに絡むチンピラとかはいないだろう。

……もしいたとしても、街の人達がフォローしてくれるはずだ。

そういう奴らは『事情を知らない連中』、つまりこの街にやってきたばかりの余所者だから、地元の連中を敵に回すわけじゃないので街の人達も安心してそういう連中をボコったり警備隊に突き出したりできる。

そもそも、地廻りの連中が率先してそういう輩をボコってくれるだろう。縄張り的なものや、私達が地元の連中の仕業だと思って報復行為に出ることを恐れて……。

それに、ふたりに渡してある防犯グッズは数人程度のチンピラ連中なら無力化できるだろうし、あれにはふたりには教えていない秘密の機能も付いている。

……うん、問題ないない！

そして、ふたりを送り出した私達は……。

「とりあえず、地下司令部に！」

「ラジャー！」

そう、地下へ行けば、冷たい飲み物も、『ポーションを含んだ、イチゴケーキのような味と食感の食べ物』もある。その他、ミーネとアラルを含む、この世界の人達には見せられない……主に、あまりにも自堕落な様子を見せるわけにはいかない、という乙女の秘密的な意味で……品々が。

＊　　＊

「香辛料の、今後の計画は？」

ゲーミングチェアに身体を沈め、左手に熱いココア、右手に冷たいアイスクリームと、メドローアを放ちそうな態勢で私にそう尋ねてきたレイコ。

「この辺りで出回ってるのより質が悪いのを3分の2、少し上回っているのを3分の1の比率で、3店に同量卸す予定よ。卸す回数は月に一度、それぞれの品目の量は毎回変更して、供給量の不安定感を演出。

……毎回きっちり同量だと、安定供給が可能だと思われて量を増やすよう要求されたり、『毎回、最低限それだけの量が納入されるのは当たり前』と思われて、それを基準にして商談をされるのは困るからね。あくまでも、販売量は私達の裁量で自由にできるようにしておきたいから」

そう、そしてあまり品質を上げないのは、勿論『いいものは、後にとっておく』ためだ。

領主とか上級貴族、そして王宮とかに献上する時のために、高品質のものは出さずにとっておく。

最初から高品質なのを出回らせるのは、百害あって一利なし、だからね。変なのが寄ってくる、という意味でも。……最初から必殺技や秘密兵器を出すスーパーヒーローはいないよね。

それに、品質が悪いものを安価で出回らせれば、普通の食堂とかでも使えるようになるかもしれない。

食生活の向上のためには、美味しいものを貴族や金持ちだけで独占させるべきじゃない。そんなことをすれば、食文化が育たなくなってしまう。

料理人は、貴族や金持ち、権力者達がなる職業じゃないからね。美味しいものは、平民の間で広めなきゃ駄目だよねぇ。

「うん、それでいいと思う。他所では絶対に手に入らない凄い品、というわけでもなく、ひとつの商会が独占販売しているというわけでもなく、そして輸入ルートを乗っ取ろうにも、『私達だから送ってくれる、実家からの商品』であって、いくら販路を奪おうとしても、私達以外の者に送られてくるはずがない。

つまり、輸入ルートの乗っ取りは絶対に不可能。私達に危害を加えた時点で、全ての商品の輸入がストップして、その全責任を背負うことになる、というわけ。

おまけに、他国の貴族か有力者の子供らしき私達に手出しすれば、下手をすれば国際問題。

これは、かなりの抑止力が期待できるでしょうね」

そんな不良案件かつ危険案件、そのあたりの下級貴族どころか、領主ですら手出ししようとはしないだろう。……うん、完璧！

その他は、干物やら生干し等の庶民向けのものばかりだから、お偉い人達には関係ない。

……いや、そりゃ、干物が好きな貴族もいるだろうけどさ。うちのは美味しいし。

そして、小売店や飯屋、飲み屋、その他一般の人達には、私達が香辛料とかその他の高額商品を取り扱っていることは秘密。卸している3つの商会にも、そのことは徹底するよう契約内容に盛り込んである。

勿論、ミーネとアラルにも内緒だ。私達はあくまでも、平民相手にそこそこの稼ぎを得てのんびりと生活する物好きな、そして割と遣り手でしっかりした、怖い後ろ盾を持っているため手出しをしちゃ駄目な子供達、として生活するのだ。

レイコの同意も得られたので、しばらくはこのまま、現状維持を続けよう。

そして、その後は……。

「第2段階はどうする？」

「う～ん……。普通に少しずつのし上がればいいんじゃない？　私達には、時間はあんまり関係ないから……」

うん、そうなんだよねぇ……。

問題があるとすれば、『ねぇねぇ、あの家の姉妹、全然歳を取ったようには見えませんわよね？』っていうような、バンパネラ的なことだけだ。

それも、化け物を排斥（はいせき）する、という方向ならまだマシな方。不老不死を求めての『狩り』が始まったら、どうしようもない。

まぁ、私達は銀の髪でもないし、銀のばらも持ってないけどね！

「最終的には、どのあたりが落とし所かなぁ……」

「何かあった時のために、防衛拠点を確保することかなぁ……。脱出ルート付きの。

一応、秘密がバレにくく、権力者からゴリ押しされにくく、そして間諜や暗殺者が侵入しにくくて、防衛しやすいところといえば……」

「「島だよねぇ……」」

そう、そこそこの大きさの島を手に入れれば、防衛は楽にできる。

空とか海中とかからの侵入者については当分気にする必要はないだろうから、水上、つまり船にだけ気を付けていれば済むし、そんなの、探知も迎撃も簡単だ。

島で一番重要なのは水の確保だけど、そこそこの大きさの島であれば水にはそう困らないだろう。いざとなれば、水魔法、『水のようなポーション』、造水機……海水淡水化装置、フィルター式造水機、その他諸々……型のポーション容器等、様々な方法がある。

まぁ、別に陸岸から何百マイルも離れた、絶海の孤島に住みたいわけじゃない。

陸岸から小舟で数十分程度の島に本拠地を構えて、普段は陸岸側に住んで、何かあった時にだけ島に立て籠もればいいや。水も食べ物も薬も不自由しないし、海産物は採り放題。そして接近する船は全部沈められる。

……何年でも、何十年でも籠城できるだろう。

「いや、そんなことしなくても、さっさと遠くの国へ移動すれば済むんだけどね……」

「当たり前よねえ……」

そう、世界は広く、情報が広まる速度は遅く、そして正確に伝わることなどない。遠く離れるほど……。

この大陸だってそうなのだから、他の大陸となると、もう、情報伝達どころか言葉が同じかどうかさえ分からない。私達には言葉の問題は関係ないけどね、セレスのおかげで。


「じゃあ、そういうことで！」

「うん、そういうことで！」

何が『そういうこと』なのか分からないけど、ま、そういうことだ。

怪しまれないための、一応の生活基盤は整えた。

領主様と良い関係を築き、官憲達ともお友達。

いや、彼らが領主様の配下だからということもあるけれど、ちゃんと警備兵詰所に付け届けをしたり、彼らが飲み屋でつまみにしている干物や色々なものを作って納入しているのが私達、ってこともそれとなく伝えてあるんだ。

……そして、街の人達を味方に付けるために色々な根回しがしてあるんだけど、警備兵やハンター達も『街の人達』の一員だからね。

彼らにも、妻も子もいる。そして妻子は街の噂話を夫に父に、話して聞かせる。

そう、私財を投げ打って元孤児院を買い取り、孤児の面倒を見ながら懸命に働く、ふたりの、おそらくは身分があるのであろう少女達の話を……。

そりゃ、チンピラに絡まれてるところを見たら、全力で駆け寄って助けてくれるわなぁ……。

うん、私達は無敵だ！　ふははははは……。

「じゃあ、しばらくは現状維持で、リトルシルバーの評判がこの街の大店や貴族達に伝わって、商売相手がそのあたりまで広がるのを待つばかり、だね。そしてその層が庇護者になってくれれば、あとは下手に王都とかに名前が広まらないよう、ただの地方都市の小規模製造業者として、のんびりやろうか」

「うん、そうだね。私も、憧れのスローライフを楽しんで、しばらくのんびりしたいし」

レイコのヤツ、90歳以上まで生きたくせに、のんびりしてなかったのかよ！

そして、考えてみれば、干物や燻製作り、魚の仕入れ、畑仕事、工芸品の製作とかで、結構忙しく働いてるよね、私達……。

確かに、大型農機具とかを使うわけじゃなくて、昔ながらのやり方だけど……。

こういうのも、スローライフって言えるのかなぁ……。

第五十五章　ミーネ

「じゃあ、こちらの方々の言われることに従い、ちゃんと働くんだぞ！　へへへ、よろしくお願いいたしやす！」

そう言って、ぐいっと背中を押されて、その人の方へと押し出された。

そう、私を養女として引き取りたいと申し出たらしい、その男の人の方へ……。

今までにも、養子として貰われていった子は何人かいる。

でも、それは数年にひとり、いるかいないか、という程度だった。

当たり前だ。病気や事故、戦争、盗賊、その他諸々。人はよく死ぬし、孤児はどんどん増える。

子供が欲しい夫婦がいたとすると、その人達の兄弟姉妹、親戚、お友達等の中に、子供を残して亡くなった人のひとりやふたりはいるものだ。両親共に亡くなった者、片親はいるものの到底子供を育てられる状況ではない者、その他諸々……。

なので、赤の他人を孤児院から引き取るのではなく、そういう『知らない仲ではないところの子供』を引き取るのが普通であり、事情や血筋も分からない子供を孤児院から引き取るという者は、決してそう多くはない。

ま、無理もない。引き取って長年育てた後で、『自分達の老後の面倒を見させるから、うちの子を返せ！』などと、嘘か本当かも分からないことを主張する『自称・本当の親』に怒鳴り込まれたり、金銭を要求されたり、せっかく育てた子供を無理矢理連れ去られたりということもあるらしいから……。

それでも、ごく稀には孤児を引き取りたいと言ってくれる人がいて、そういう人が現れた場合はしっかりとその人の事情や身元を調べ上げ、問題がなければ引き渡し、そしてその後も定期的に子供の様子を確認することになっていた。

……半年前までは。

半年前に、ずっと昔に私財を投じて孤児院を設立し数十年に亘って運営し続けてくれた『お父さん』が高齢のため泣く泣く引退、あとを任せた『おじさん』……『お父さん』は、お父さんだけだから……の代になってから、様子が変わった。

3～4ヵ月にひとりくらいのペースで養子に貰われてゆき、その分を補充するかのように、新しい子がやってきた。

そして、なぜか貰われてゆく先は、この国ではなく、他国。

それぞれの国にも孤児院があるし、孤児院にも入れない子供達が大勢いるのに、どうしてわざわざ他国から……。

みんな疑問には思っていたけれど、かといって何ができるわけでもなく、大人達に聞いても『養子に貰われていった子が羨ましいのだろう』と言って笑われるだけだった。

そして私の番が来て、８歳の時に隣国の中堅商家に養女として貰われていった。

そう、『養女として』、貰われていったはずなのだ。

……しかし、隣国の商家に着いた私を待っていたのは、商家の娘としての生活ではなく、朝早くから夜遅くまで無給で働く従業員、……いや、奴隷としての生活だった。

……話が違う。

私は、養女として迎えられたはず。だからこそ、孤児院が行った孤児引き取りの審査に通ったと聞いていた。

しかし、なぜか書類上は私は『50年分の給金を前払いしてある、住み込みの奉公人』ということになっているらしく、事実上の奴隷であったのだ。

……騙された。

そう、孤児院の運営に慣れていない『おじさん』が、調査不足でこの連中に騙されたのだろうと思った。『お父さん』の時には養子の数はずっと少なかったから、多分審査が緩くなっていたんだ、と。

なので、状況を確認し、孤児院へ帰るための道筋、距離、そのために必要なものを調べ、そして最低限の路銀を密かに貯めるのに１年近い月日を要した。

……給金なんかない中、お客さんから貰ったお駄賃とか道端で拾った鉄貨だとかをこつこつと貯めて、数日分の堅焼きパンを買えるだけのお金を貯めるのには、苦労した。

夜は野宿。そして草や木の実を食べながら森の中を歩き続ければ、そう大してお金が必要なわけじゃない。

それに、勿論、逃げ出す時にはこっそりとお店の中を漁って、水を入れる皮袋、食べ物、その他お金になりそうなものを持てるだけ持っていくつもりだ。

窃盗？　いやいや、1年分の給金としちゃ、格安だろう。

それに、嘘を吐いて私を攫った誘拐犯、かつ違法奴隷売買の犯人の住処から逃げ出すのに必要なことならば、罪に問われるとは思えない。

うん、問題ない。


そして、準備がほぼ整った頃には、私は9歳になっており、そしてそろそろ身の危険を感じ始めていた。

……そう、『そういった方面』の……。

また、その頃、私がいたのとは別の孤児院から、6歳の男の子が引き取られてきた。

……養子、という名目で。

勿論その事態は、私と同じく、奴隷同然の無給の労働力。

私より前に買われてきた『先輩達』は、もう全てを諦めているのか、ただ無気力に日々を過ごしているだけだ。でも、孤児院にいた頃に懐いてくれていたジェシーに似たこの子は、まだ諦めと絶望に染まってはいない。そして、表向きは従順な振りをしている私に、なぜか懐いてくれている。

急遽、予定を変更してこの子も連れていくことにした。

何、移動速度が少し落ちるのと、食料の消費量が2倍になるだけだ。大したことじゃない。

そして、『その日』を待つ……。

＊　＊

「起きて、アラル……」

「ん……」

寝惚け眼のアラルに、小さな声で、そっと告げる。

「私はここから逃げ出すわ。……一緒に来る？」

「うんっ！　どこまでもついていく!!」

アラルは、利発な子だ。寝惚け眼がくわっと開き、そして小さな声で、しかし力強くそう言って頷いてくれた。

「上等よ！　よし、作戦開始!!」

水を入れる皮袋、保存食、そして釣り銭の置き場所は分かっている。伊達に1年間下働きをしていたわけじゃない。必要なものを片っ端からバッグに詰め込む。

ひとりで運べる量を厳密に計算し、持っていくものの種類や量はきっちり決めてあった。それに、アラルの消費量と持てる量を考えて計算し直し、素早く準備を進めていった。

お金は、銀貨以上は全て金庫に収められているけれど、釣り銭として用意してある鉄貨と銅貨は簡単な鍵が付けてある机の引き出しに入っている。大した金額じゃないから。

……そんなの、その気になれば簡単に開けられる。

これは、『盗み』じゃない。

私の1年間の給金の、ごくごく一部を支払ってもらうだけだ。

そして残りは、別の形で支払ってもらう。……いささか強烈な形で。


大きな取引の、重要な証文は金庫に収められている。

でも、少額の取引や、お金の遣り取りの証文ではない普通の文書や覚え書き、取引の予定表とかは、机の引き出しに入れてある。

……それらを全部、ずだ袋に突っ込んだ。

ずっと持ち運ぶわけじゃない。手近なところで川にでもぶち込むから、一時的に担げる量であれば問題ない。

そう、少しでも店を混乱させて、私達を捜すための人手を減らすのだ。

そして……。

そっと内鍵を外して外へ出て、扉に用意していた紙を貼りつける。

文字は、孤児院で『お父さん』や『お母さん』達に教えてもらった。

その拙い文字で、思い切り書き綴った、私達『養子として引き取られた奴隷』のこと、この店のあくどいやり口、脱税のやり方、二重価格、証文の偽造や書き換え、その他諸々について……。

商取引や税、帳簿の計算等は、孤児院で教わった。

……というか、眼が悪くなって帳簿をつけるのが難しくなった『お父さん』を助けるためにやり方を教わり、『お父さん』が引退される前の1年くらいは、孤児院の帳簿記入は私が任されていた。

でも、ここでは私は何も知らない振りをしていた。そして、私には理解できないだろうと思って、私がいる時にも平気で不正行為の話をしていた商会主や番頭達。

『いいか、ミーネ。多くの人は、自分を実力以上に見せようとする。でも、そんなことをすれば、後で本当のことがバレると相手を失望させるだけだろう？　でも、最初に過小評価されていれば、本当の実力を知ってもらえたときには喜ばれるだろう？　そして何より、……相手が自分を馬鹿にして油断してくれていると、色々とやりやすいからな』

そう、『お父さん』に教わったのだ。

また、騙され、搾取された場合は、必ず相手がそれによって得た利益を上回る損失を与えろ、と。

でないと、そいつらは次の獲物から同じように搾取するから、と。

だから、孤児院の子に手出しすれば利益どころか大損する、と思い知らせる必要があるのだ、と。

自分が泣き寝入りすれば、それは自分だけの損失ではなく、味をしめた連中により大勢の後輩達が餌食（えじき）になるのだということを。

そして、更に色々なことを教わった。

『最悪の場合は、敵と刺し違えろ。そうすれば、少なくとも大勢の後輩達を守ることができる』

『出来る限り敵に打撃を与え、こっちに手出しする余裕をなくさせろ』

『怒りを燃料にして、凶暴な自我に喰わせてやれ！　そうすれば、無敵の力が湧き上がる……』

『失うものがない者は、無敵だ！』

孤児院を開く前は、何をやっていたんだろうか、『お父さん』……。

そして、どうやって孤児院の開設資金を手に入れたのだろう……。

でも、多分、その教えは正しい。だから私は、その教えを守り、従う。

「……よし、脱出！」


その後、商工ギルドの扉、広報用の広場の立て看板、その他数ヵ所に同じ紙を貼り付け、街から逃亡。

別に、この街は城塞都市というわけじゃない。街が壁で囲まれているというわけじゃないから、街から出るのに何の支障もなかった。

あとは、アラルと一緒に、懐かしの我が家、孤児院を目指して歩くのみ！

たとえ何日、何十日かかろうが。

泥水を啜り、草を食むことになろうが。

……帰る。

必ず帰り着く。

あの、仲間達がいる孤児院へと……。

……それがなぜ、短剣を持った『少なくとも数十人は殺したと思われる、殺人者の眼』をしたお姉さんに睨み付けられ、そして明らかに弓より強力そうに見える必殺の武器らしきもので狙いをつけられているのだろうか……。

「「ひいっ!!」」

アラルとふたり、思わず飛び退って、尻餅をついた。

「こ、殺さないで!!」

その時は、私もアラルも、思ってもいなかったのだ。

それが、私達の栄光の日々の始まりであったということなど……。

＊　＊

からららん

ドアを開けると必ず鳴る、ハンターギルド支部統一規格のドアベル。

そして私は、一斉に向けられたハンターやギルド職員達の視線を気にすることなく、受付窓口へと歩み寄った。

「……傭兵ギルドはお隣ですよ？」

うるさいわ！

誰が殺人の常習者やねん!!

「受注じゃありません、依頼です！　そして、依頼内容は暗殺とかじゃありません！」

失礼にも、程があるわっ！

「しっ、失礼しました！」

「依頼内容は、これです」

ギルドに依頼するのは、初めてってわけじゃない。……けど、あれはもう70年以上前の話だ。おまけに、ここからは遠く離れた異国での話だし。

なので、依頼の仕方や基準報酬額とかが大きく異なっている可能性もある。

「はい、必要事項は揃っていますし、規約上も問題ありません。これでお受けできます。しかし、報酬額が空欄になっていますが……」

うん、そこはさすがに適当に書くのは躊躇われたのだ。

「相場は、おいくらぐらいでしょうか……」

そして、受付嬢と相談して、妥当な報酬額を決定。無事、依頼は発注された。

……帳簿みたいなのに記入してから、依頼票が壁のボードに張り出されただけだけどね。

うん、これも、地元への融和策の一環だ。

この街で一番の戦闘力を有しているのは、領主の配下である領軍か？　それとも警備隊か？

いや、違う。

ハンターギルド支部だ。

明確な上下関係ではないけれど、一応、ハンター達はギルド上層部の指示には従う。自分の命や損得に支障がなければ。

なので、もしギルド関係者全員が牙を剝けば、領軍や警備隊の戦力を上回る。

下位ランクの者も含めれば、数だけは多いのだ、底辺職であるハンターは。

片や、毎日が実戦、盗賊達と命の遣り取りをすることもあるハンター達。片や、日々訓練の毎日で、戦争などない平和続きで人を殺した経験のない、少数の領軍兵士と警備兵。

そりゃ、何もない草原で正面から戦えば、兵士は強いかもしれない。しかし、市街地で、奇襲、弓矢による狙撃、テロやゲリラ戦を仕掛けられれば、どちらが勝つかというと……、って、私は別に領軍や警備隊とハンターギルドを戦わせたいわけじゃない。万一に備え、ハンターギルドも味方にしておきたいだけだ。

片や、日頃から新米ハンター用の割のいい依頼を持ち込んでくれる、少女達。

片や、余所者のチンピラ。

揉め事があった時、普通であれば無視してスルーされるような場合でも、この場合はどうか。

……うん、助けて貰える確率、かなり上がるよね！

それに、元々依頼は出すつもりだったし。

そろそろ、肉にも手を出そうと思っていたのだ。自分達が食べる分もだけど、商品としても。

そう、ジャーキーとか、燻製とか……。

煮物や焼き物は、飲み屋や飯屋、そして各家庭でそれぞれ作るだろうから、公園の屋台とかで売るならばともかく、うちのようなやり方では商売にはならない。だから、作るのに手間と時間がかかって、ある程度日保ちして、運ぶのが簡単なものを。

レイコを野山に放てば、魔法で色々と狩ってくるだろうとは思う。

……でも、まぁ、自重したのだ、自重！

そして、獣肉の確保はハンターギルドに依頼を出すことにしたわけだ、一石二鳥を狙って。

依頼内容は、こんな感じ。

食用とするための、獣肉の確保。
対象：角ウサギ、鹿、猪、熊、オーク等。解体せずに、そのまま納入。但し、血抜きは実施。
期間・数量等：常時。但し、受注数については、受付窓口において調整するものとする。
なお、別途報酬金により、皮剝ぎ、解体のレクチャーを依頼する。レクチャーに関しては、各獲物の種類ごとに、最初の数回のみ。

窓口で調整、というのは、一度に大量に届けられたり、特定の種類のものに偏(かたよ)ったりすると困るからだ。なので、うちが買い取れる量や種類を細かく書いた表を作って、受付嬢に渡してある。

うちの依頼を受ける人が窓口に来たら、現在の受注状況によって色々と指示したり、数量が超えた時にはボードの依頼票を一時的に剝がしたりしてもらえるようになっている。解体レクチャーが終わったものかどうかの確認も必要だし。

また、獲物のお届けは、時間範囲を指定してある。忙しい時に届けられたら解体のレクチャーが受けられないし、不在の時に来られても困るからね。

……色々と受付嬢の手間がかかる面倒な条件になってるから、割増し料金を取られたよ、クソ！

報酬額は、相場より少し高めにした。

この依頼内容から、皆、『あ、孤児達に解体を覚えさせようとしているな』と察してくれるだろう。そして聡い者は、うちの取り扱い商品に肉の加工品が加わるのでは、と気付くだろう。うちで食べるだけなら、肉屋で買えばいいのだから。（ギルドは小売りはやっていない）

それを、捨てる部分も含めて未処理のものを丸々買い取ってからわざわざ解体、というのは、他に考えようがないだろう。

ある程度顔が知られている私からの発注が気になったのか、何人かのハンターがボードに近寄っているけど、私はさっさと引き揚げ。

しばらく待っていれば受注者が現れるかもしれないけれど、ここは退いておく。ハンターの人達が私が出した依頼について仲間内で話したりするのを阻害したくないからね。受付嬢と話すのも、依頼主が側で聞いていちゃ、やりづらいだろう。

なので、さっさと引き揚げる。別に、そう急いでるわけじゃないし。

それに、護衛依頼と違って、この依頼は受注者が狩りの前に依頼主と会う必要はない。受注者が適任かどうかは受付嬢が判断することだし、私は獲物を持った受注者が納品と解体のレクチャーのために家に来てくれるのを待つだけだ。

いつ来るかが分からないのは少し面倒だけど、それは仕方ない。

いつ受注してもらえるか。いつ獲物が狩れるか。いつ狩り場から引き揚げようと判断するか。戻ってすぐに納品に来るか。食事を摂って一杯やってから来るか。翌朝になってから来るか。

不確定要素が多すぎて、納入日時は事前にきっちりと決められるようなものじゃない。だから、納入可能な時間帯だけを決めて、その時間にはみんなが家にいるようにするしかない。

ま、解体のレクチャーが一通り終われば、私かレイコのどちらかがいれば買い取りや保存は問題ないから、その時には納入可能時間帯を変更するけどね。

＊　　＊

「すみませ～ん！」

あれ、玄関の方から呼び声が……。

ドアノッカーがあるのに……。

ま、依頼を受けてくれたハンターの人だろうけどね。

「は～い！」

急いで玄関へ行くと、予想通り、４人組のハンターらしき連中の姿があった。

全員男性で、20歳前かな。多分、17～18歳、ってとこか……。

勿論、ここ基準での話なので、この連中が日本の街角に立っていたら、20代後半くらいに見られるだろう。……殆ど、『おっさん』だ。

「納品に来ました。あと、解体の説明を……」

「分かりました。受注、ありがとうございます。で、獲物は……」

見たところ、みんな、ずだ袋を肩に掛けて背負っている。ということは……。

「はい、角ウサギ８匹です」

……やっぱり。

大物がいれば、違う運び方をするからねぇ。みんなが袋を背負っているということは、小物ばかりということだ。そして今回は鳥は発注していないから、必然的に角ウサギ、ってわけだ。

肉が目的なので、ゴブリンやコボルトは発注の対象外。ということは、他には鹿、猪、熊、オーク、オーガ等がいるわけだけど、魔物じゃない普通の鹿、猪はなかなか捕れないし、オーク、熊、オーガとなると、若手４人じゃ不安があるだろう。

いや、そりゃ、狩れるかもしれないよ？　でも、誰かが怪我をする確率が10パーセントあれば、そういう仕事を10回やれば多分怪我をする。そして戦力が低下し、お荷物を抱えることになって、……終わりだ。

だから、全員がほぼ確実に無傷で終わる仕事しか受けない。

ならば、このパーティにふさわしい仕事はオーク狩りではなく、ゴブリンやコボルト、そして角ウサギ狩りだというわけだ。

腰抜け？

いやいや、数年後にはオークを狩り、その後、熊やオーガを狩れるようになっているだろう。そして同年代で今オークを狩っている連中は、数ヵ月後にはオークの腹の中、というわけだ。

世の中、馬鹿には厳しい。そして馬鹿には、失敗を糧として成長するためのチャンスすら与えられない。うん、世の中、そういうものなんだよ……。

「じゃ、こちらへ……。お〜い、解体準備！　獲物は角ウサギ8匹！」

「「「は〜い！」」」

奥から、レイコ達の返事が返ってきた。

みんなは家の内側から廻るので、私は外を廻って、ハンターの皆さんを御案内。

いや、血の滲んだずだ袋を担いで家の中を通らせたりしないよ！　家の中は、日本式に土足厳禁なんだから……。


裏へ廻って、解体用に用意しておいた場所へ。

ここには、水道も設置してある。……高さ2メートルくらいの台を作って、その上に載せた大樽に水を入れて、ここや台所、風呂場とかにパイプを引いて蛇口を付けただけだけどね。

給水？

一応小川に、凄く華奢で軽く回る水車を作って、そこから樋（とい）を伝って流れ込むようにしてある。揚水量は少ないけれど、常時作動しているわけだから、ほんの少しずつの給水量でも充分だ。私達4人が使うだけだし、樽がデカいから。

そしてそれも、『見た目だけ』である。

樽が満水で溢（あふ）れ、溢（こぼ）れた水は排水路に流れているが、実際にはこれらの水が樽に入って使われることはない。樽が二重構造になっているのだ。

樽の『本当の貯水部分』の水量目盛りが一定以下になれば家の中の警告ランプが点灯するから、そうなると私の『限りなく水のようなポーション』か、レイコの水魔法で給水されるのである。

……当たり前だ。いくら浄水器を通すとはいえ、上流で下水をそのまま流されていたり、動物が水浴びをしていたりする川から分岐させた小川の水を飲むというのは、心理的に、ちょっと辛い。いくら病気になってもポーションで治せるとは言っても……。

勿論、私達がいなくなったり、子供達を残して長期不在となる時には、レバーひとつで水車からの水が樽の内側に流れ込むように切り替えられるけどね。

既に、ミーネとアラルの準備は万端である。ちゃんと解体作業用の服に着替えているし、包丁セットも並べてある。

解体を学ぶのは、ミーネとアラルだけである。

……私とレイコは、そんなの覚える必要はないよね？

将来それで食っていくというわけじゃないし、私達は、アイテムボックスを使えば皮剝ぎ、血抜き、内臓抜きとか、一瞬だ。これは、ミーネとアラルのための訓練であり、決して私とレイコのためのものじゃない。

「では、お願いします」

「「「え？」」」

あれ、どうしてぽかんとした顔をしているのかな、ハンターの皆さんは……。

「いや、解体を覚えるの、あんた達じゃなくて、この小さい子達なのか？」

あ、普通はそう思うか……。

「はい。私達は雇い主、この子達は雇われ従業員ですので……」

「……お、おぅ……」

そう、ここは孤児院じゃない。私とレイコは保育士さんじゃないし、ミーネとアラルは庇護された孤児じゃない。ふたりは、自分の力で稼ぎ、生きていく一人前の社会人だ。やるべき仕事はやってもらう。授業料は無料(ただ)だから、将来のためにしっかり学べばいい。それだけのことだ。

「じゃあ、まず手本を見せるから、よく見て……、って、何だよ、お前達が用意しているその道具は！　無茶苦茶切れそうな各種ナイフに、見たこともない道具。……そして、何だよその、細い筒から水が出てくるやつは……」

うん、道具はいいものを用意した。

「ちょっと貸してみろ。……うわ、何だよこの切れ味！　馬鹿野郎、刃物ってのはな、切れ味が悪いと力を入れなきゃならないから危ないけどよ、切れすぎても危ないんだよ！　それに、皮を剥ぐのにこんなに切れ味がいいと、剥ぐ途中に皮を切っちまうだろうが！　物事、『程々』ってのが大事なんだよ、『程々』ってのがよ……」

ありゃ、礼儀正しいと思っていたのに、急にガラが悪く……、って、これは子供達のためを思って、叱ってくれてるのか。

「仕方ねぇ、今日は俺達のを貸してやる。おい、あんたら、後で刃物屋に行って、使い途を詳しく説明して見繕ってもらえ。こいつらを連れていって、ちゃんと体格や手の大きさ、握力とかも見てもらって、あとは店の親父に任せろ。ったく、もう……」

あ～、これ、私が創ったんだよねぇ。柄にポーションが入ってるの。うん、フランセットのために創った、あの神剣エクスグラムと同じ要領で。

勿論、単分子刃や超高速振動機能とかは付いていないけど。

それでも、切れ味がいいに越したことはないと思って、かなり切れ味を良くしたのが裏目に出たか……。

「やるぞ。よく見とけ。まず、頭を落とす。でないと、解体中に角が邪魔になるし、初心者はうっかり自分から刺さりにいったりするからな。切る部分に注意を向けすぎて、台に身体を寄せた時に腹にぐさり、って馬鹿がたまにいる」

なる程。そりゃ、最初に頭を落としておくべきだ。納得！

それに、角は色々と用途があるらしいし。

ま、私達が同じ用途に使っても稼げないだろうから、そっちは先達（せんだつ）にお任せして、私達は別の利用法を模索しよう。

「そして、ここに刃を当てて、思い切り良く、一気に……」

手際よく皮を剝いで、内臓を取り出して、肉をバラしてゆくハンター。

「今回は、『手付かずの状態で納入すること』って条件だから丸ごと持ち帰ったけど、普通は現場で血抜きして内臓を抜いて、泉や小川があればそこで肉を冷やす。そうしないと、保（も）ちが悪くなるし味が落ちるからな。
あ、血抜きだけは現場でやっといたからな。そうしないと、肉の価値が落ちちまうから……」

「ああ、それは構いません。血抜きは、やり方だけ模擬して教えていただければ……」

うん、実物を指し示して口頭で説明してもらえば充分だろう。それに、血抜きは現場でやっておくように、と依頼票に書いておいたのだから、問題ない。

「ほれ、やってみな」

そして、もう一匹を解体してみせたハンターが、手にしていたナイフをミーネに差し出した。

「え……」

固まる、ミーネ。

しかし、ミーネは覚悟を決めた少女だ。自分の力で生きていく、と。そして、アラルを守って生きていく、と……。

がしっ！

そしてミーネは、差し出された、自分の手には少々大きすぎるナイフをしっかりと握り締め、台の上に載せられた３匹目の角ウサギに立ち向かった。

＊　＊

４匹を捌いた時点で、ミーネの集中力が切れた。

そのため、残りの２匹はハンターに捌いてもらい、今日の解体訓練は終了。

訓練はミーネしか受けていないけれど、見学していたアラルにはミーネから教えさせるから問題ない。

しかし……。

「実際に解体方法を教えてくれたのはひとりだけなのに、報酬はやはり４人分払わなきゃなんないんでしょうねぇ、やっぱり……」

私の言葉に、少し慌てたような様子の、『ただ突っ立っていただけの３人』。

いや、ただの冗談だよ、勿論。４人掛かりで教えられたら、ミーネの頭がパンクしちゃう。

それに、あくまでも『依頼を受けてくれたのは、４人パーティ』なんだからね。ひとりで８匹もの角ウサギを狩るのは無理だろうし。

私が『冗談、冗談！』と言うと、ハンター達は苦笑していた。

いや、いくら小娘でも、常識ぐらい弁えてるよ……。

今回の依頼、この人達にとってはどれくらいの価値があったのかな……。

角ウサギの価格は、ギルドの買い取り窓口に売れば銀貨2枚くらいらしい。それを、うちでは銀貨3枚。おまけに、依頼をこなせばギルドにうちからの手数料が入るから、ギルドへの貢献になって功績ポイントとかが付くらしい。そりゃ、常時依頼とかでギルドに売るより、うちの依頼扱いにするわなぁ……。

うちとしても、皮や角が手に入るから、何かに使えないか研究できるし。

街の商店だと、肉屋では肉しか売ってないんだ。角や毛皮は、それ用の業者が全部買い取るんだってさ。

1匹あたり銀貨3枚で、8匹で24枚。2万4千円くらいか……。成人男性4人の1日の稼ぎとしては、ちょっとショボいな……。

でも、多分、ゴブリンやコボルトとかの、うちの買い取り対象外のやつの討伐報酬とか、ついでに探した薬草や山菜とかによる収入もあるのかも。

それに、今回は小物ばかりでも、数日に1回鹿や猪とかを狩れれば、平均した稼ぎとしてはまぁまぁなのかも。自炊すれば結構安上がりだし。ここ、野菜と魚は安いからねぇ。

それに、今回は解体方法のレクチャー報酬が別に出るから、今日はいい稼ぎになった方かもしれないな。

「……なぁ、臓物(ぞうもつ)はどうする？」

「え？」

「いや、臓物を捨てるなら、貰えないかと思ってさ。俺達貧乏だから、臓物鍋(モツ)とか、結構ご馳走なんだよな、普通の奴らは捨てるけどさ……」

ああ、なる程。しかし……。

「ちょっと前まで孤児だった子達の前で、『俺達貧乏だから』とか言いますか……」

「「「あ……」」」

ちょっと気まずそうな顔の、ハンター達。

いや、別に意地悪を言ったつもりはないんだけどさ……。

「今回は、内臓の料理法も仕込もうと思ってたんだけど……。ん〜……」

そうだなぁ……、ま、初めての依頼受注者だし、サービスするか……。

「料理は私達が作るから、夕食、食べていきませんか？　勿論、内臓料理だけでなく、他の料理も出しますよ」

「「「マジか!!」」」

オーク狩りができるようになるまでの、ハンターとして一番苦しい時期なんだろう。少しくらい、いい目を見せてあげてもいいだろう。

「さぁ、どうぞ！」

テーブルに並べられた、料理の数々。

全て、私とレイコ製。ミーネとアラルは、見学のみ。

練習でミーネに作らせるのは、私達だけの時に、ゆっくりと。余計なプレッシャーを掛けたり焦らせたりするのは良くないからね。今日はお客さんの接待だから、急いで作らなきゃならなかったから、私達ふたりだけで作ったのだ。

料理は、角ウサギの臓物（モツ）鍋、フライドウサギ、角ウサギの照り焼き、シチュー、ロースト、その他諸々。

勿論、角ウサギだけでなく、野菜や魚料理もある。

料理の一部は、アイテムボックスから出しただけのやつ。シチューは、もう出来てるやつに軽く炙（あぶ）った角ウサギの肉を入れて再度煮込んだだけ。シチューは元々温かいままだったから、肉に充分火が通るのは割と早かった。


「もう出来たのか！　早（はえ）ぇな、オイ！　それに、この品数……」

うん、アイテムボックスがなければ、もっと時間がかかっただろうね。

「遠慮なく食べてね。保存の利く加工食品にするための練習用のお肉は充分残っているし、また依頼を受けたハンターの皆さんが色々と納品してくれるだろうから、角ウサギ数匹分くらいどうってことないからね！」

自分達が納品して代金を貰ったものを自分達が食べる、しかも調理までしてもらって、というのが引っ掛かったのか、少し躊躇った様子の者もいたけれど、結局、みんなすぐに料理にかぶりついた。……まぁ、いい匂いがしているから、当然だ。うむ！

内臓料理にしても、充分香辛料を利かせてあるから、この辺りの平民には縁のない味だろう。

……そもそも、内臓料理なんかに高価な香辛料を使うような奴はいない。

そんなことをするくらいなら、最上級の食材を使った料理に、たっぷりと贅沢に香辛料を使うだろう。みみっちく、節約してほんのちょっぴりしか使わないんじゃなくて……。

だから、そもそもこのあたりでは『香辛料を使った内臓料理』なんか存在しない。

当たり前だ。地球でも、昔は『胡椒は、同じ重さの金と同価格』とか言われていた時代があったくらいだ。

勿論、それくらい高価で貴重品だったというたとえであって、実際には、さすがにそこまで高価じゃなかったけどね。

だから、『能力で出すのを自粛』の対象外にしてるんだよね、香辛料……。

ちなみに、私が生前買っていたテーブルコショー、20グラム入り168円だったけどね。

……って、イカン！　早く食べないと食い尽くされる!!

オマエラ、ちょっとは遠慮ってものを……。

ミーネとアラル！　お前達まで、釣られてがっつくんじゃない!!

どうして8人しかいないのに、私が満腹になる前に料理が全部なくなるんだよ！

そしてミーネとアラルとレイコ、なぜお前達は満足そうな顔をしているんだよ！

……私だけか？　競争に敗れて充分食べられなかったのは、私だけかよ、クソっ‼

「「「「ありがとうございました～！」」」」

うるせぇ！　依頼完了届けにサインしてやるから、てめーら、さっさと帰れ‼

＊　　＊

そして、オーク、猪、鹿等、種類ごとに同じようなことが繰り返されて、徐々にミーネの解体能力が上がっていった。

うちに納品すると旨いメシが喰える、という噂が広がったらしく、受注希望者が殺到して受付嬢は断るのが大変だったとかで、ギルドに顔を出した時に愚痴られた。

仕方ないので、販売用に持っていた干物のうち3枚と、飲み屋のオヤジに試食させるための試作ジャーキー類を少し渡して黙らせた。

『旨いと思ったら、ちゃんと宣伝するように』と言っておいたから、まぁ、宣伝費、先行投資、賄賂、交際費、……なんでもいいから、とにかく『経費』と考えよう。……くそ！

あ、ミーネが一度で解体をマスターできなかったやつは何度か解体のコーチを依頼したし、商品の試作や本番用として、買い取りの方はずっと継続している。あまり一度に大量に来ないよう受付嬢（干物とジャーキーの賄賂を渡した人）が調整してくれているし、納品が被っても問題ない。

……何のためのアイテムボックスか、ということだ。

斯くして、我が『リトルシルバー』は、加工肉部門の正式稼働と相成ったのである。

そして食卓に、魚や野菜料理だけでなく、肉料理が出るようになった。うむうむ。

……いや、それまでにも出していたよ、街の肉屋で買ってきて。

育ち盛りの子供がふたりもいるんだ、それくらいは考えているよ！

え、子供は4人だろ、って？

私とレイコはもう育たないよ、身長も、胸も……。

って、うるさいわっっ！

＊　＊

肉の加工品販売の方も目処が立ってきたある日……。

ドアノッカーの音がして私が応対に出ると、10歳前後の薄汚れた男の子がふたり、立っていた。

「お腹すいた……」

変なの、キタ～！

「……孤児？」

私が立ち尽くしていると、レイコとミーネ、アラル達がやってきた。

「お願いします、ここに置いて……」

「帰れ！」

「「え？」」

孤児らしき子供の懇願の言葉を、一刀両断。

……ミーネが。

「「えええええ！」」

私とレイコの声がハモった。

いや、私かレイコが言うならば、分かる。

しかし、元孤児であるミーネが、孤児院だったここを頼ってきた孤児に掛ける言葉としては、それは信じがたい台詞だ。

そもそも、ついこの間のオマエらの立場そのものじゃん！　なのに、その台詞はないだろう、と。

アラルが何も言わず黙っているのは、状況がよく分かっていないのか。

そう思っていたら……。

「さっさと帰れ！」

「「えええええ〜‼」」

何と、今度はアラルから、嫌悪に満ちた、吐き捨てるような口調でそんな言葉が……。

「ど、どどど、どうして……。あんた達、そういうキャラじゃなかったよね？」

そう、ミーネとアラルは、ライバルが増えるだとか、自分達の食べ物の割り当て量が減るだとか、そんな理由で他の孤児達を排斥するような子じゃない。

「も、もしかして、孤児院の敵対派閥の連中？」

動揺した私の言葉に続いて、何やらわけの分からないことを口走るレイコ。

……孤児院の敵対派閥って、何やねん！

しかし、明らかに異常なミーネとアラルのこの態度は……。

「お前達、いいトコの子だろう！　その程度の変装で騙されるような者が、この歳まで生きていられるとでも思ってるの？　孤児業界を舐めるんじゃないよっ！」

な、何じゃ、そりゃあああぁ～～っっ‼

いや、完全に騙されてましたけど！

そして、『業界』なんだ、孤児の世界って……。

「な、なっ……。俺達は、本当に……。どうして俺達が変装しているだなんて……。しょ、証拠はあるのかよっ！」

二人連れのうち、年上と思われる方の子がそう言ってミーネに食って掛かったけれど……。

「誰が、わざわざ変装の不備なところを教えてやったりするもんか！　さっさと帰って、雇い主に『自分達の変装と演技が下手だからバレました、警戒させてしまったから、もうこの手は二度と使えません』って報告するんだね！」

「くっ……」

悔しそうな顔をする年長の子と、何だか怯えたような様子の年下の子。

……多分、失敗したとなれば、この子達を派遣した連中に怒られるんだろうな。言葉で、そして暴力で……。

というか、年長の子の態度で、ミーネとアラルが言ったことが正しいってことが丸分かりだ。

ならば……。

「あんた達には、3つの選択肢がある。ひとつは、雇い主の名を吐いて警備隊で証言すること。もうひとつは、泣きながら逃げ出して、私達を敵に回すこと。そして最後のひとつは……」

ここで、にたりと嗤って……。

「いま、ここで死ぬか、だねぇ……」

「「ぎゃあああああぁ～～!!」」

あ、逃げた。

いや、ちょっとビビり過ぎじゃね？

「……やり過ぎです、カオル様……」

「その目付きは、卑怯……」

うるさいわっっ！

ミーネもアラルも、好き放題言いやがって……。

レイコ？

いないよ。

魔法を使って、こっそりとあのふたりを追跡してるに決まってるじゃん。

敵の存在を知って、しかも先制攻撃を受けたというのに、野放しにしておくわけがないじゃん。見敵必殺。ここは、ハルゼー提督を見習うとしよう。

「……で、どうしてあのふたりが偽物だと思ったの？」

「はい、あんなの、一目瞭然（いちもくりょうぜん）です！」

さっきはちょっと口調が荒くなっていたけれど、既に完全にいつもの調子に戻っているミーネ。

うむ、やるな、ミーネ……。

どうやら、思っていたよりしたたかで、遣（や）り手らしい。

まぁ、『強くなければ、生きていけない』ってやつか。

……そして、『優しくなければ、生きていく資格がない』と……。

私達は、資格があるのかどうか……、って、女神様（セレス）が許可してくれたんだから、あるに決まってるよね、この世界で生きていく資格が……。

レースに出（ムチャをや）られる、A級ライセンス持ちだ。

……昔、『永久ライセンス』だと思っていたのは秘密だ。

そして、この資格（めんざいふ）で、この世界を駆け抜けて生きていく!!

……いや、まぁ、それは置いといて……。

「まず、服の破れ方が不自然でした。孤児は服を大事にするから、あんな無理矢理引き千切ったり刃物で切ったりしたような傷み方ではなく、すり切れたようになります。

そして、あんな、如何にも泥を付けて汚しました、というような汚れ方じゃなく、残飯の汁が染み込んで腐ったような、饐えた臭いがするもんです。それに、シラミの痒みで掻きむしった形跡のない、綺麗な髪。更に肌の状態が……」

「分かった、もういい！　納得した‼」

ミーネは孤児院にいたらしいから、浮浪児のような生活はしていなかったはずなのに……、って、馬鹿か、私は！　別に孤児院で生まれたというわけじゃないんだから、その前は別の暮らしをしていたに決まってるじゃん！

親を亡くしてそのまますぐに孤児院に入れた者もいれば、そうじゃなかった者もいるのは当たり前だ。出会った時のエミール達、『女神の眼』のみんながどんな生活をしていたかを忘れてどうするよ！

そしてミーネも、おそらく……。

「敵の潜入工作員を見事見破った功績、大手柄だよ、ミーネ、アラル！　大儀であった‼」

「「はいっ！」」

私達の役に立てたということで、ふたりとも嬉しそうだ。

うむうむ、手柄は褒めてあげないとね。あとで、何か褒美を考えておこう。

とりあえず、今日の夕食はミーネの調理実習ではなく、私が作ろう。大サービスで、食後のデザートにフルーツケーキでも付けるか……。

よし、あとはレイコが戻るのを待つばかり……。

＊　＊

「……で、首尾は？」

「敵の正体を確認。黒幕は、私達が取引相手に選ばなかった中堅商店のうちのひとつ。

あのふたりは丁稚奉公の子供達の中から選ばれた者で、失敗の報告を聞いた商店主に殴り倒されてた」

不可視魔法（光線歪曲か、光線透過かは知らないけど）により、簡単に子供達を追跡、そしてその商店について入ったらしい。

武芸の達人とかがいれば、気配を察知して『むっ、曲者!!』とかいうシーンが期待できたかもしれないけれど、中堅商店にそんな者はいない。

「ふぅん、そう……」

勿論、それは想定の範囲内だ。

「問題は……」

「『どう落とし前をつけさせるか!!』」

うん、義賊が店の倉庫を、なんてことをやっても意味がない。

『リトルシルバー』に手出しした者達が自業自得で、という、馬鹿の自滅ストーリーが広まらないと、宣伝効果……、いやいや、『抑止効果』が発揮されないからね。

ならば……。

＊　＊

「え？　メルディス商会の丁稚が逃げ出して、『リトルシルバー』に逃げ込もうとした？」

「『リトルシルバー』は誠実で従業員を大切にするとは聞いていたけど、勤め先から逃げ出して元孤児院に逃げ込むたぁ、従業員にどんだけ酷い扱いをしてるんだよ、メルディス商会……」

「そして、『リトルシルバー』の経営者が逃げてきた丁稚を諭して店に戻らせ、『これ以上従業員を虐待しないように』って申し入れをして、商工ギルドにも『指導や教育の域を超えた、ただの苛めや憂さ晴らしのための暴力、虐待、搾取等の禁止』を申し入れたらしいぞ」

「搾取って、住み込みの店員に住居代、食費、厠費、その他諸々を請求したり、指導料と称して給金の上前を撥ねたり貸し金として帳簿に載せたりするやつか……。あれは酷いよなぁ……」

「ああ。丁稚奉公の制度ってぇのは、そういうものじゃねぇよなぁ……」


「街中で、噂が広がっています。私達も色々と尋ねられたので、噂の内容は全て事実、と答えておきました」

「うむ、御苦労！」

街のお店に商品を届けに行っていたミーネとアラルが戻ってきて、そう報告してきた。

配達はゆっくりでいいから、できれば情報収集を、と命じておいたのだ。

そう、街で流れている噂は全部本当のことだ。……表向きは。

あの後、問題の商店の前に行って、店の前で大声で通達文を読み上げげたんだよね。

店の者に通達文を手渡したって、何の意味もない。ゴミ箱に捨てられて終わり、だからね。

だから、店の前で大声で読み上げてやったわけだ。繰り返し、何度も。

すぐに顔を真っ赤にした店の者が飛び出してきたけれど、迷惑を受けた方の経営者がわざわざ出向いてきたのだから、そっちも店主が出てきて謝罪するのが筋ではないか、と言って突っぱねた。

勿論、店主が出てきたりはしなかったけれど、充分騒ぎになって大勢の観客がいたから、こっちの目的は十二分に果たせたので、問題なし。

その後、商工ギルド（田舎町の商工会レベル）にも意見書を提出したし、めぼしい商店にも顚末書を配布しておいた。

……メルディス商会の面子、丸潰れである。

商店主達の中には、事実に気付いている者もかなりいるだろう。

自分のところの丁稚を孤児に仕立て上げて『リトルシルバー』に送り込み、干物の製法を……、って、本当はそんなささやかな稼ぎのタネではなく、裏稼業の方、香辛料の方を狙っていたんだろうけどね。

私達が選んだ3つの商店の従業員にカネでも摑ませたか、別ルートで情報を手に入れたのか……。

私達から香辛料を仕入れた店は、当然のことながらそれをどこかに売るわけだから、あの3店がどこからか格安で大量の香辛料を買っていることは大勢に知られることになる。だから、店の人達が私達との約束を守って出所を秘密にしてくれていても、そのうちどこかから仕入れ先が漏れるのは仕方ないことだった。

……というか、漏れて、それが大店や貴族の耳に入ることを期待しているわけだから、アレだ、『想定の範囲内だ』ってやつ……。

そして、中途半端な情報を摑んだものだから、香辛料の輸入ルートを奪えるとでも思ったのか、自分達が4店目のうちの取引店になろうとでも思ったのか……。

とにかく、メルディス商会が従業員を孤児に偽装させてうちに潜入させようとした、ということは情報に敏感な遣り手商人達の多くに知れ渡り、そして他の商人や一般の人達には、メルディス商会は従業員が逃げ出して他の事業主のところに助けを求めるくらい虐待している、という噂が広まったというわけだ。

……まぁ、その噂は私達が広めたものなんだけどね、色々なルートで。

お金とコネとハンターは、使ってナンボ、だからねぇ。

でも、メルディス商会はその噂を否定することができない。

ふたりの従業員がうちに保護を求めてきたということは事実だし、魔法で姿を消してついていったレイコによってそのふたりの名前も分かっているし、孤児のような恰好をして街からうちの方へ歩いているふたりの姿を目撃した人が何人もいる。……誰の眼にも触れずに街の中心部近くからうちまで歩けるわけがないからね、深夜にやってきたわけじゃないんだから。

……よし、これで、偽装孤児を送り込もうとする者はいなくなるだろう。

そもそも、うちは孤児院じゃないからね。れっきとした、営利企業だ。孤児が訪ねてきたからって、引き取るわけじゃない。

領主が慈善団体だと思って免税対象にした？

いや、それは領主が勝手に勘違いしただけだ。私は何も嘘は言っていないし、あの時に説明したことは全て、ちゃんと実行している。孤児だった身寄りも身元保証人もない子供達を住まわせて、働かせて給料を払っている。それも、相場より好条件で。『孤児の生活を支援するための活動』は、ちゃんとやってるよ。

……ただ、ここは『孤児の支援を行う事業所』であって、『孤児院』じゃない。ただ、それだけのことだ。

ミーネとアラルは、『引き取った』わけじゃない。『雇った』んだ。

……まぁ、ミーネが以前ここに住んでいて、そしてアラルを助けて必死で帰ってきた、っていうことを考慮しなかったわけじゃないけどね。

生き延びるために必死で足掻（あが）いている者と、ただ自分の不幸をネタにして施しを要求する者。

私が誰に何を与えるかは、私の勝手だ。

自分で決める。自分のお金の使い途（みち）も、自分の生き方も……。

第五十六章　ブラックセレス

「……あなたがカオルね？」

「え？　……うん、まぁ、そうだけど……」

　買い物のため街を歩いていると、突然話し掛けられた。凄い美少女に……。

　確か、アラルが6歳、ミーネが9歳だっけ？　この子はミーネと同じくらいに見えるけど、あのふたりは浮浪児生活やら孤児院やらで過ごしてきたからか、平均より少し小柄だから、手入れされた綺麗な髪と肌、シンプルだけど上等そうな服装の金持ちっぽいこの子は、年齢的にはミーネより少し下かなぁ……。

　これがナンパ目的のチャラ男や腹に一物ありそうな商人、むさいおっさんとかならスルーするけれど、そういうのではなく何か私に用があるみたいだから、一応ちゃんと話を聞くことにしたのだけれど……。

「私はレイアよ。あなた、私の世話をしなさい！」

「何か、超図々しいの、キタ～～!!」

＊　＊

「……で、レイアちゃんは……」

「レイア様、と呼びなさい。その時には、直立不動で、最初に『畏れ多くも』を付けるようにね」

「どこの天皇陛下かっ！」

「冗談よ……」

笑えんわ！　さっきの話を聞いた後じゃあ……。

そう、コイツは、さっき恐るべきカミングアウトをしやがったのだ！

その内容というのが……。

「ま、新米女神のセレスティーヌがちゃんとやっているかどうか、私がしっかりと監査してあげるわよ」

そう、これだ……。

どうやら、セレスの同類、いや、上司か監督官、査察官みたいだ……。

まぁ、この連中は見た目と実年齢は全く関係ないだろうということは、理解できる。

……イカン。

イカンぞ、これは……。

セレスに迷惑を掛けるわけにはいかないし、もし、もし万一、『原住生物に、そんなチート能力を与えるなどと、いったい何を考えているのか！』ってことになって、私やレイコの能力が剝奪されたりすれば……。

……イカン。

イカンぞおおおぉっっっ‼

＊　　＊

「……で、内緒の査察だから、勿論セレスティーヌには私のことは絶対秘密にするように。もし喋った場合のペナルティが怖ければね」

こくこく
頷く以外に、どうしようもないだろ！

「私がここで能力を使うとセレスティーヌに感知されちゃうから、私は力を使うわけにはいかないのよ。だから、私が困っている時には、あなたが何とかするように！」

こくこく
いや、それは納得できる理由だからね。

「とりあえず、住むところと、美味しい食べ物、それと、ええと、……おかね？　それを、たくさん寄越しなさい。食べ物というものにはとても興味があるので、初体験において私の期待を裏切るようなことのないように！」

こくこ……

「いや、それは納得できる理由じゃねえぇ〜〜!!」

コイツ、セレスの腹黒バージョンだ！

そう、言うなれば、腹黒(ブラック)セレス!!


「……で、一緒に住むつもりはない、と？」

「当たり前でしょう！　そんなことをすれば、好き勝手なことが……セレスティーヌがあなたの様子を確認する時に見つかってしまうでしょうが！」

……今、本音、出た！

絶対、今のが本音だあぁぁぁぁっっ!!

＊　　＊

「……で、街で一番の宿屋に部屋を取らせて10日分の宿泊費を払い、アイテムボックスに作り置きしてある料理を食べさせて、金貨30枚を渡してきた、と？」

「うん……」

私の報告を聞いたレイコは、しばらく考え込み……。

「嘘ね」

「だよね〜！」

そう。セレスの仕事というか、役割は、次元世界の融合事故を防ぐことのはず。そこには、原住生物の生死なんか、殆ど考慮されていない。

セレス自身が、仕事の邪魔だとかムカついたからという理由で、割と簡単に『神罰』を下しているくらいだ。あの、ぽややんで悪意のない、比較的温厚な性格であると思われるセレスでさえ、だ。

……つまり、あの種族は特殊な例を除いて、原住の下等生物のことなんか殆ど気にしていない、ってことだ。おそらく、人間がアリンコに配慮するほどの関心すら持っていないだろう。自分に何らかのメリットでもない限り。

だから、もし『査察』というものがあったとしても、それはセレスの『歪み』の調査のやり方とか、発生した『歪み』の処理の仕方とかが対象となるはずだ。……少なくとも、原住生物と接触したり、美味しいものを食べ歩いたり、お金をせびったりすることじゃない、決して！

……ということは、だ。

「「セレスに内緒で、こっそり遊びに来てるだけだ!!」」

あの種族は、人間には想像することもできないほど知性的に成熟しているため、悪意だとか憎しみだとかいう概念が殆どないらしい。

セレスくらいまで知性と能力を低下させた分身体だと、僅かにそういう感情も発生するようであるが、それもそう大したものではない。セレスが簡単に神罰を振りまくのは、そういう感情が強いからではなく、ただ単に、人間の生命など何とも思っていないからに過ぎない。

人間も、大した悪意もなく虫を殺すではないか。ほんの少しイラついたとかいうだけで……。

セレスにとって私は、好きな人から世話を頼まれたペット。そしてその周囲の人間達は、ペットの子猫が連れてきた、遊び仲間の近所の野良猫達。その程度なのであろう、多分……。

だから、あの少女……の姿をした、高次生命体の分身体……も、おそらく『悪意』というようなものはあまり持ってはいないのであろう。ただ、気紛れでここを訪れただけで……。

＊　＊

「……とか考えているのでしょうねぇ、下等生物が……」

街で一番の高級宿の部屋で、優雅に紅茶を飲みながら、カオルからせしめたお菓子をパクついているレイア。

「確かに、本体はそんな感情とは無縁だけど、下等生物との意思疎通の必要がある私達『極限まで能力を落とした分身体』には、下等生物の考えを理解するための必要性から、そういう感情もほんの少しあるのよねぇ。……陰謀、策略、陥れ、その他諸々の思考や感情が……。

そして、私の本体が担当区域の『歪み』監視のために作り出した、セレスティーヌとほぼ同格の分身体が、謀略のために更に分岐して作り出した分身体である、この私。直属分岐元の意を汲んで、謀略の限りを尽くすわよ！」

そして、左手に紅茶のカップ、右手に食べかけのお菓子を持ったまま、にやりと嗤うレイア。

「セレスティーヌより先に、より詳細なあの子の暮らしぶりの情報を集めて、地球の管理者に報告して、歓心を得るのです！　そして、セレスティーヌよりも、直属分岐元（じょうし）よりも、私に対して好感を抱いてもらうのです！

セレスティーヌどころか、直属分岐元（じょうし）すら蔑（ないがし）ろにするという、この極悪非道振り！

ああ、我ながら恐ろしくなるほどの、何たる悪意、何たる謀略！　悪の化身ですわっっ!!

くふ。

くふふ。

くふふふふふふ……」


精神的に成熟した、神の如き超越種族（オーバーロード）。

その超劣化分身体による、渾身（こんしん）の悪行。

それは、所詮、この程度なのであった……。

＊　＊

「『おかね』がなくなったわよ。おかわり！」

うちにやってきて、開口一番、そんなことを平然と言ってのけたレイア。

「ふっっっざけんなよオオオォッッ!!」

大声で怒鳴りつけた。

ああ、本気で怒鳴りつけたよ！

だって、この街で一番高い宿の、一番いい部屋の10日分の宿賃（朝夕の食事付き）を前払いして、金貨30枚（日本での300万円相当）を渡したのは、5日前なんだぞおおおぉっっ!!

「どうしてそんなに早くなくなるんだよっ！」

「……さぁ？　使ったからかしら？」

のほほんと、そんなことを言いやがるレイア。

「放せ！　コイツを殴らせろオオオォッッ!!」

私を羽交い締めにして、がっしりと抱き留めるレイコ。

いや、殴らせろよ!!

はぁはぁはぁ……。

＊　＊

「あのね、レイアちゃん。『お金』っていうのはね、手に入れるのが結構大変なんだよ。蛇口を捻ればいくらでも出てくるというものじゃないんだよ？」

うん、知らないものは仕方ないよね。だから、教育に努めた。頑張って。

そうしたら……。

「それくらい、知ってるわよ。だから、さっさと集めてきなさい！」

題ないか。紛らわしいから名前を変えろ、なんて言えないよねぇ……。

とか考えている間にも、さっさと手早く魚を開いているミーネ。

レイアはなぜ私がこんなことをさせて、そしてそれをみんなに見せているかは理解していないだろうけど、時間に関する感覚が私達とは全く違う種族だから、たとえ一日中見させていたとしても、気にもせずに眺めていることだろう。

勿論、作業に慣れてきたミーネは、たった1匹の処理にそんなに時間を掛けるようなことはないけれど……。


そして、ミーネが大体の下処理を終えたところで……。

「レイアちゃん。今、この子、ミーネがやった作業は、うちで作っている干物の作業工程の一部なの。この他にも、事前に市場で魚を仕入れたり、洗っておいたり、この後は塩を擦り込んだり調味液に浸けたり、冷暗所や日陰で干したり、街に売りに行ったり……。勿論、そのためには事前に販売先を探して売買の約束をしておかなきゃならないし。

……で、そこまでして売って、魚の仕入れ代金や塩、その他の経費を抜いた利益は、1枚当たり、小銀貨2枚くらいなの。あなたがこの5日間で使ったお金、宿代は別にしての金貨30枚の、1万5000分の1、ね」

「……え？」

きょとんとした顔の、レイア。

「1日30枚の干物を作るとして、500日分。週2日休みとして、約2年。この世界の人間の平均寿命が50歳として……」

そして右手を伸ばし、人差し指で、びしぃっ、とレイアを指差した。

「つまりあなたは、この子が自分の寿命のうち25分の1を費やして稼ぐお金を、たった5日間で無駄に使っちゃったわけよ！　あなたにとっては取るに足らない下等生物かもしれないけれど、この世界に生を受けて、一所懸命に生きている生命の、25分の1を無駄に!!」

「え……」

呆然とした顔の、レイア。

いや、分かってる。

私の言い分はメチャクチャだし、酷いどんぶり勘定だし、あのお金はミーネが稼いだものではなく私が昔ポーションを売り捌いて稼いだ金貨を両替したやつだし。

でも、コイツがセレスと同系列の生物なら。……そしてセレスと同じくその本体の超劣化版なら、勢いに押されて流される可能性は充分にある。あの時のセレスのように……。

いくら私達がレイア達から見て下等生物であっても、憐れな生物に対する憐憫の情の幾ばくかはあるだろう。あまりにも隔絶した生命体である本体ならばともかく、セレスと同レベルまで超劣化したバージョンであれば……。

そう、私達が必死に生きるアリンコを見て抱く程度の感情は……。

「25分の1……。寿命全ての、25分の1……。この弱く憐れな生命のそれを、私が5日間で、食べ物と飲み物と遊びと悪ふざけで、一瞬のうちに……」

　ありゃ、思った以上に効いてる？

　年数で言ったんじゃ、この連中には実感が湧かないと思ったから、『全寿命のうち、どれくらいを占めるか』という表現にしたんだけど、この連中にとっての『寿命の25分の1』というのがインパクトがあったのか、それとも、僅か50年しか生きられないという儚(はかな)い生命にとっての2年という年月を、自分にとっての数億年に等しいものと捉えたのか……。

　とにかく、何だか反省しているようなので、良しとしよう。

　このまま、勢いでたたみ掛ける！

「分かった？　この世界では、『お金』というのは大事なものなの。

　割と簡単に手に入れられる者もいるけれど、大半の者はそうじゃない。そしてお金があれば何でもできて絶対に幸せになれるかといえば、そうじゃない。……でも、お金は幸せになるための道具としては役に立つの。

　お金で全ての幸せは買えないけれど、そのうちの大半は買えるのよ……」

　後ろで、レイコが『買えるんかい！』とか呟いているけれど、スルー。

　ミーネは、こくこくと頷いているし。うん、ミーネは『お金』というものの怖さもありがたさも、骨身に染みて知っているだろうからねぇ。

「……ごめん」

ありゃ、急に素直になったぞ……。ちょっと、予想外だ。

こりゃ、正攻法で行けるか？

「レイアちゃん、セレスの監査に来たっていうの、あれ、嘘だよね？」

「うっ……」

あ、やっぱり。

「いや、別に構わないよ。私達に迷惑が……、『あまり』迷惑がかからないなら、気の抜けない大変なお仕事のたまの息抜きくらい、誰に文句を言われる筋合いもないでしょ。セレスみたいに、担当している区域のたくさんの生物や次元世界のために、ずっと『歪み』の監視をしてくれているんでしょ？　それくらい、当然の権利だよ。気にしない気にしない！」

「え……、あ、うん、まぁ……」

あれ？　何だか歯切れが悪いなぁ。

「レイアちゃん、担当区域の管理は大丈夫なの？　もし今、レイアちゃんの担当区域で『歪み』が発生したら……」

そしてレイコが、心配そうにそう言うと……。

「ああ、それは大丈夫よ」

なんだか、軽く流されたぞ？

「ここのセレスティーヌに相当するレベルの『私』は、今もちゃんと担当区域の管理をしてるわよ。私は、その『私』が創った、更にそこから派生した低位存在で、レベルを下げた分身体のひとつだから……」

「ぽややん状態のセレスより更に低レベルの分身体、キタ〜〜!!」

知能レベルを下げすぎて、知識や神様的な能力はともかく、思考力や知性は既に普通の人間以下になっとるやんけ〜〜!!

そりゃ、チョロいはずだよ……。

＊　　＊

「……じゃあ、よろしくお願いします！」

宿の人に、レイアのことをよく頼んでおいた。

そう、レイアと口裏合わせをして、レイアは私達の監視役を頼まれて国元からやってきた貴族家の娘、ということになったのだ。

うちの実家と懇意である貴族家の娘が、私達が自由気ままにやっているのを羨んで、そういう名目で両家を言いくるめて追ってきたけど、本当は自分も物見遊山の冒険旅行がしたかっただけの我が儘お嬢様、ってことにして。

……どうして10歳未満に見えるレイアが12歳前後に見られる私と14〜15歳くらいに見られるレイコのお目付役に派遣されるのか、という問題はあるが、深くは考えない。宿の人も、貴族が考えることは分からないなぁ、と思う程度で流してくれるだろう。

まぁ、貴族の子供は幼い頃から色々と教育されるらしく、中にはおしゃまな子や大人びた子、天才児、やけにしっかりした子なんかもいるから、そういうものだと思ってもらおう。

そして、一見ひとりに見えるものの、常に隠れ護衛が見張っており、下手に手出しすると問答無用、何の手加減もなく斬りかかられる、という噂を広めておくことにした。

いや、そうでもしないと、大変なことになっちゃうからね。……主に、この街とか、この国とか、この大陸とかが……。

いくらレイアが『下等生物に対しては、セレスよりずっと寛大で心優しい』とはいっても、そしてレイア本人には何の危険もないとはいっても、さすがに、自分に対して悪意全開で攻撃してきた者には容赦しないだろう。容赦をする理由なんか、欠片もないのだから。

人間も、自分を刺した蚊は、何の躊躇も罪悪感もなしに叩き潰すよね。かなり優しい人でも。

そして、周囲に殺虫スプレーを噴霧しても、何の不思議もない。

他の蚊は、何もしていなくとも……。

まぁ、子猫がてしてしと繰り出す猫パンチくらいなら、笑って見逃してくれるかもしれないけどさ……。

また、そう予告しておけば、レイアに絡んだ連中の首が急に『ポロリもあるよ！』とかになったとしても、『ああ、鋼線使いの隠れ護衛の仕業か……』とかで納得してもらえ……、

「もらえないわよ！」

もらえるに違いない。

うん、レイコの突っ込みは、スルー。

あ、さすがに8歳前後にしか見えない、金持ちそうな身なりのレイアがひとりで泊まるには、安宿どころか、普通の宿屋でも危険過ぎる。なので、レイアが最初から泊まっている、この街で一番の……設備も従業員もサービスも安全性も、そして勿論料金も……宿屋にそのまま泊まり続け、但し当然のことながら部屋のランクは下げて、懐に優しい価格帯に収めることにしたのである。

宿の人には、私達が考えたレイアの設定と、国元から持ってきた資金を僅か数日で使い果たしたおっちょこちょいだということを説明して、以後も私が宿の料金を直接支払い、レイアには1週間ごとに私からお小遣いを少しずつ渡す、ということを伝えておいた。

普通であれば高級宿の従業員が客のプライベートなことを喋ることはないが、この件に関してのみは、レイアの安全のため、ということで『箝口令(かんこうれい)』ならぬ、『広報令』を敷いてもらった。

……宿の人は、嫌そうな顔をしていたけどね。

ま、客のことをぺらぺら喋る宿、とか思われるのは嫌か。無理矢理頼み込んだけど。

大丈夫、この宿に泊まるような人はみんな『デキる人達』だから、レイアのその噂だけが耳に入れば、それは『少女の安全のため、宿が泥を被ったな』とすぐに理解して、更に宿の評価が高まるに違いない！　……多分。

そして、これによりレイアを襲っても僅かなお金しか持っていないということが広まり、隠れ護衛の件と合わせて、ますますレイアに手出ししようとする者が減るはずであった。

事実、この5日間で派手にお金を使いまくったことは大勢に知られているであろうし、この後、レイアは私が支給するお小遣いでそこそこの……貴族の娘としては、かなり質素な……生活をすることになるのだから、疑う者はいないだろう。

そして、セレスがたまに私の様子を見ることを知っているであろうレイアは、あまり私に接触することなく、休暇を楽しんでくれるだろう。その様子を見て、自分自身はそういう行動を楽しめるようなレベルではない『もっと上位のレイア達』が、幼い妹が馬鹿をやってるのを見てほっこりとした気分を味わう姉のように、ほんの少し楽しんでくれれば……。

全宇宙の、そして全次元世界のために尽力してくれているのだから、それくらいはいいだろう。

＊　　＊

「……とか考えているのでしょうね、あの下等生物が……。

でも、まぁ、確かにあまりあの少女に近付くとセレスにバレるでしょうし、あのお方には、『あの少女の様子を、面白おかしくお話しする』のであって、私があの少女に手出しして好き勝手に扱っている状況をお聞かせするのではありませんからね。そんなことをすれば、きっとお叱りを受けてしまいますわよね……」

宿の自室で、ぽりぽりとお菓子を食べながら、そんなことを言っているレイア。

そういう種族特性なのか、セレスと同じく、独り言が多いようである。

そしてどうやら、カオル達は大した被害を被らずに済みそうであった。

「……でも、お小遣いはもう少し多くするべきではないかしら。この身体は、まだまだ食べることができますし、食事もお菓子も、なかなか面白い体験ですわ。

……そして、美味しいものほど価格が高いというのは、どういうわけですの？　嫌がらせか何かですの！

とにかく、次にお小遣いを貰う時に、ちょっと意見すべきですわね……」

この国の言葉をマスターしているくせに、どうしてこの世界での常識はマスターしていないのか。

しかし、レイア関連の予算は現在の『リトルシルバー』の経理とは別立てで、カオルの昔の財産から支出しているので、大きな影響はない。……まだ、今のところは。

そしてカオルは、レイアは少し滞在して楽しめば、帰還するものと考えている。

……セレス達の時間感覚が人間とはかけ離れたものであることを、人間の中では自分が一番よく理解しているにも拘らず……。

まぁ、そもそものレイアの滞在目的を誤解しているので、その勘違いはそう大したことではなかったが……。

＊　　＊

「よし、『謎の訪問者』事件は、これにて一件落着！　元の任務に復帰するわよ！」

『元の任務に復帰する』というのは、私が前世でよく使っていた言い回しである。確か、戦争映画で覚えた軍隊用語だったはずだ。おそらく、お兄ちゃんへの付き合いで、テレビかレンタルビデオで一緒に見たのだろう。

「了解（ラジャー）！」

「ら、らじゃ？」

「らじゃ！」

レイコは、勿論、前世の時から私の口癖や多用する言い回しを知っている。そしてレイコに続いて、慌てて真似をして返事するミーネとアラル。うむ、かわええのぅ……。

ええと、何だかレイアに掻き回されてバタバタしていたけれど、とにかく『リトルシルバー（うち）』の事業としての魚介類加工部門に続いて、食肉加工部門も順調な滑り出しとなり、民芸品とかを扱う小物部門も同じく順調。問題点は、需要に供給が追いつかない、ってことだけだ。
だって、生産の主力が9歳の少女ミーネと6歳の少年アラルのふたりだけなんだものね。生産量に限りがあるのは当たり前だ。
いや、私とレイコも働いてるよ？
でも、私達は対外的な活動……売り込みとか、新規開拓とか、その他諸々……をやらなきゃならないし、毎日現場作業で働きたいわけじゃない。

のんびり暮らして、お金儲けは、私達がお金を使うのを怪しまれないだけ稼げればいいんだ。

お酒やギャンブルに大金を費やすわけでなし、美味しいものといっても、そのあたりの下級貴族家で出される料理より私やレイコが作った料理の方がずっと美味しい。

洗練された地球の調理技術だけでなく、調味料を使うからね、ポーションとして出したやつを。

反則？　いーんだよ、細けぇこたー！

……まぁ、ポーション能力で出した香辛料や調味料抜きだと、カネにモノを言わせて最高級の素材を使った貴族家の料理には敵わないかもしれないけど……。

ま、とにかくそういうわけで、肉体労働は従業員に任せて、私とレイコは楽な仕事をちょっぴりこなすだけなのだ。

……いや、非難される謂われはない！　経営者って、そういうものだよね？

それに、これはミーネとアラルの仕事を作ってやり、技術を身に付けさせてやるための慈善事業なのだ。領主様に出した申請書と嘆願書には、別に嘘を書いたわけじゃないのだ、うむ。

……しかし、現状ではミーネとアラルの負担が少し大きくなってるかなぁ。

これを何とかするには……。

そう、ここは当然、新規に従業員を雇うべきところだ。

そして、元孤児院の建物の隣に作業場を増設して、生産量の増加を図るのが、デキる事業主というものである。

……ただ、それには少々問題点がある。

うん、うちには秘密が多すぎるし、従業員なんか募集すれば、絶対に変な奴が来る。

だって、金持ちの貴族のお嬢様が趣味でやっている、カネになりそうな事業だよ。しかも、香辛料の入手ルート付き。これに食い付かないような商売人や悪党はいないね。悪い企みやら、雇い主の命令やらで応募してくる奴が、絶対にいる。

それに、そもそも、大勢の従業員を雇って、その給料を払うために仕事量が増えて、って、本末転倒だ。うちは、みんなで幸せに生活するために働くのであって、危険を背負い込んだり嫌な思いをしたりするのは嫌だ。

……荒稼ぎは、裏の稼業で稼ぐから、いいよ、そういうのは。

レイアの生活費は、昔の蓄えで賄ってるし……。

くそ、それも無尽蔵というわけじゃないんだ、あまり長居されると、非常用の資金が目減りするぞ。何せ、現在流通しているお金に両替したのは一部だけで、大半は『大量に出すと怪しまれる、今は流通していない昔の金貨』だからなぁ。

うむむ、なにか、いい考えは……。

第五十七章　人材確保作戦

「……商品の増産、ですか？」

　夕食後の、みんなで紅茶を飲みながらの団欒（だんらん）の時間に私がその話題を切り出すと、ミーネが少し考えた後、自分の意見を言ってくれた。

「正直言いまして、現状でこれ以上の増産は難しいです。頑張れば２割くらい増やせるかもしれませんが、かなりの無理をすることに……」

　そう言って、ちらりとアラルの方に視線を向けたミーネ。

　おそらく、自分だけのことであれば『あと２割増やせます！』と答えたのだろうけど、まだ６歳のアラルにその負担をかけさせることはできないと考えて、そう答えたのであろう。そしてミーネの性格から考えると、その言葉を口にするのは忸怩（じくじ）たる思いだったに違いない。

　でも、アラルのことを優先して、敢（あ）えて増産に否定的な言葉を返した。自分としては、恩のある私達のために、無理をしてでも期待に応（こた）えたいと思っていただろうに……。

　うん、それでいい。それでいいんだ。

「分かってる。ミーネとアラルが、勤務時間内にできるであろう最大の成果を上げてくれていることとは。だから、大幅な増産が無理なのは分かってる。もし増産が可能なら、それはふたりが今は全力でやっていない、ってことだからね。

そうじゃないってことくらい知ってるよ。私も馬鹿じゃないんだからさ」

私がそう言うと、何だか瞳をうるうるさせているミーネ。

いや、あなた達には、『女神の眼』の連中でお馴染みの、あの『狂信者の眼』はして欲しくないよ。家族のような仲良しではあっても、上下関係としては、ただの雇用主と従業員、ってだけで充分だ。そこに、崇拝だとか献身だとかは要らないよ！

だから……。

「増員を考えてるの。……但し、募集したら絶対に変なのが来るから、採用はスカウト方式、つまりこっちから声を掛けて、ってのを考えてるの。

でも、私達はこの街に知り合いがいるわけじゃないし、誰が信用できるかも、相手がどこかの誰かの息がかかっているかどうかも分からない。

さて、そこで質問。私達は、誰をスカウトすればいいと思う？」

私の質問に、ミーネは即答した。

「孤児!!」

「大正解～！」

そう、金持ちや権力者の息がかかっている孤児なんか存在しないし、彼らの望みは『腹一杯食べたい』、『暖かいところで眠りたい』、……そして、『生き延びたい』。ただ、それだけだ。

そして、その3つを与えてくれるなら。

おそらく、決して裏切ることはないだろう。あの、『女神の眼』の子供達のように……。

「でも、この街の孤児院は潰れちゃって、今はこうなってるし、その時にいた孤児達全員のまともな行き先を用意してくれたくらいだから、この街の領主さんは孤児院に入れていない孤児達を放置したりはしていないのでは？」

うん、レイコが言う通り、この街は孤児には異常に肩入れしてるみたいなんだよねぇ。ミーネとアラルにもみんな優しくしてくれているみたいだし、ミーネの話によると、孤児院時代も結構良くしてくれていたとか……。

だから、昔からこの街には河原で暮らすホームレスの子供とか、決まったねぐらすらない、文字通りの『浮浪児』に相当する者達とかも存在せず、ここにあった私設の孤児院と、住み込みで働ける年齢になった者を受け入れてくれる仕事場、そしてごくたまに現れる『年少者を養子として欲しがる、子供を亡くした、あるいは子供に恵まれなかった夫婦』とかで、言い方が悪いかもしれないけれど、『需要と供給のバランスが取れていた』らしいのだ。

勿論、全ての街がそう上手くいっているわけじゃない。

普通の街では、まともな働き口は、伝手（つて）やコネがある者が優先されるし、信用度の問題とかもあり、孤児にはまともな働き口はなかなか得られない。

何かあった時に、孤児だと『親兄弟に弁償させる』ということができない、というのもある。店の金を持ち逃げでもされたら大変だ、ということなのだろう。

でも、実際には、普通の者よりも孤児院出身者の方が犯罪を犯す確率は遥かに低いらしい。

何せ、せっかく自分の力で腹一杯食べられて、暖かいベッドで寝られる生活を手に入れたというのに、それを捨てようなどと考える者は滅多にいない上、普通の者達が音を上げるような状況でも、笑いながら『あの頃に較べれば、天国だ』などと呟くらしいのだから……。

そして、そういう連中が真面目に必死で働く一番の理由は、勿論、アレだ。

『もし自分が信用を失うようなことをしでかせば、孤児達全ての信用と評判が地に落ち、後輩達を雇ってくれる職場が激減する』

お世話になった孤児院の人達に失望され、そして慕ってくれていた後輩達に怨まれ、蔑まれる。

……孤児院出身者にとって、これ以上の恐怖はないだろう。

だから、孤児達は割と信用できるのだ。こちらが彼らを裏切らない限り。

「じゃあ、他の街に孤児を探しに行くの？」

「いや、他の領地から勝手に人を連れてくるのはマズいでしょ。いくら孤児とはいっても領民だし、そこそこの年齢になれば労働力として、そして有事の際には戦力として使われる、領地の財産なんだから……」

レイコの案は、却下だ。

他の領地から勝手に人間を移動させるのもアレだけど、それ以前に、私の手はそんなに長くない。

たまたま出会った人達を少し手助けしたり、大した手間じゃなければ気紛れで『なんちゃって女神様』ごっこで幸運のお裾分けをしたりするけれど、そんな、知らない街の知らない子供達のために遠出したりはしない。

この国の全ての孤児達、そして全ての国の全ての孤児達に手を伸ばすことはできないんだ。ならば、最初から、無理をしたり中途半端なことをしたりはしない方がいい。

「じゃあ、どうするのよ？　ここの孤児院が閉鎖になった時にいた孤児達は、みんなそれなりの居場所を世話されて、今はそれぞれ普通に暮らしているんでしょ？　その子達を連れ戻すわけにはいかないでしょ？」

当たり前だ。そんなことをすれば、今、子供達がいるところの人達に迷惑がかかるし、受け入れを斡旋してくれた領主様や尽力してくれた様々な人達の面子を潰すことになる。そして、『リトルシルバー』の評判も落ちるだろう。

「だから、連れ戻す。『ここに連れてきても問題ない者』を、『引き抜いても問題ないところ』からね」

「あ……」

うん、これだけヒントを与えてあげれば、レイコには一発で分かるだろう。

『連れ戻す』

それは、『以前、ここにいた者』ってことだ。

そして、突然連れ戻しても、本人も今の職場の人も全く困らないか、もしくは『困っても構わない連中』ってことだ。

つまり……。

「ミーネ、孤児院の院長が代わったのは、ミーネが売られる半年前って言ってたよね。そして、売られてから1年くらいで逃げ出して、ここに辿り着くのにしばらくかかって……。

で、ここを引き継いだ悪党が捕まったのが、半年近く前。

つまり、大体1年前後の間、ミーネと同じような目に遭った、つまり『売られた』子がいたわけよね？」

「え……」

ミーネの口から漏れた声は、『それに気付いていなかったがための、驚きの声』ではなかった。

それは、『本当に、本当に助けてもらえるのか？』という、半ば信じられない、けれど微かに見えた希望の光を信じ、縋り付きたいという、心の声。

気付いていなかったわけではないだろう。

気付いていていながらも、自分にはどうしようもなく、そして私達に言ったところで、ただ私達の心を重くするだけ。……だから、何も言わなかったのだろう。

本当は言いたかったであろう、心の叫び。

『私と同じ目に遭った仲間達を、助けて!!』

オーケイ、オーケイ。

連れ戻しても問題がない人員。

困るのは悪党だけで、自業自得。気にする必要は全くない。

領主様は、多分味方をしてくれるだろう。

そして、助けられた子供達は、決して私達を裏切ることなく、よく働いてくれるだろう。

子供を助け、悪党を潰す。

うん、たまには『女神様』や『御使い様』をやるのもいいだろう。

……匿名の、パートタイムで。

フルタイムの、正社員としての『女神様』や『御使い様』は、ちょっとしんどい。

でも、パートかアルバイトくらいなら構わない。

昔、『女神の眼』のみんなと出会った時に決めたのだから。

自由に生きたい、と。自分の好きなように。

そして、ポーション能力による恩恵を、ほんの少し人々に与えようと。

……但し、悪党は除く。

別に、ミーネのためってわけじゃない。

私とミーネ、そして売られた子供達の利害関係が一致した。ただ、それだけだ。

そして、私は領主様に、『リトルシルバー』のことを『孤児の自立のために支援事業を行う組織である』と説明している。免税を願い出た嘆願書類において。

その活動を、じっくりと見ていただこう。

「よし、『リトルシルバー』、人材確保作戦、開始!!」

＊　＊

「じゃあ、ミーネが売られたのは、この国の北西側に接する国、つまり海の反対側ってことね？　それなら、移動は陸路になるか……」

私がそう呟くと、横からレイコが……。

「人材確保のために、陸路を行く。……まさに、『陸（リク）ルート』……」

うるさいわっ！

とにかく、ミーネから売られた時のことや、向こうでのことを色々と聞き出した。

まぁ、当時は『売られた』とは知らず、自分はお金持ちの商店主に養女として引き取られたと思っていたらしいけど。

そして、状況に気付いた後も、孤児院の新しい院長は何も知らず、ただ騙されただけ、と思っていたらしい。私が本当のことを教えるまでは……。

「なっ！　おじさん……、いや、あの中年のクソおっさんが、全ての元凶!!　いつか必ず復讐してやる……」

「いや、とっくに捕まって、処罰されてるから！」

というような遣り取りもあったけれど、ま、事情聴取は順調に終わった。相手が完全に協力的なんだから、当たり前だけど……。

そして次の情報収集先は、あそこ。

そう、領主様のところだ。

ここの経営者を取り調べた時の記録を見せてもらわなきゃならないし、一応、きちんと話を通しておかなきゃならないからね。

あの時、領主様は経営者を捕らえて処罰したらしいけれど、それ以上のことはできなかったらしいんだ。

……でも、それは仕方ない。決して領主様がサボったり、賄賂で日和(ひよ)ったりしたわけじゃない。

領主様は、他国に官吏を派遣して調査させることも、他国の商人を取り調べることも、そして捕縛することもできない。

そして勿論、一応は正式な手続きを経て養子に出された、今は既に他国の者となっている子供達を、何の証拠もなく一方的に奪い返すことも……。

何しろ、自国の孤児院が礼金を貰って正規の手続きで養子に出しており、その書類にはちゃんと領主様の部下のサインが入っているのだから。これでは、下手に手出しすると相手国から自国の王宮にクレームが来て、領主様の立場が危(あや)うくなる。

これでは、手出しできるはずがない。

……でも。

私達は、この領地の者でも、この国の者でもない。

もし何かしでかしたとしても、『そいつらは他国の者だ、うちは関係ない』と言えば済む。

そして領主様は、当然のことながら、私達には『有力な実家がバックに付いている』と思っているだろうし、隠れ護衛と、何か問題が起きた時のためのお目付役がこっそりと見守っていると考えているだろう。『なんちゃってお目付役』という触れ込みのレイアではなく、本当のお目付役が。

……そう、もし誰も止める者なく私達が何かをしでかしたとすれば、それはお目付役が『問題ない』と判断したということであり、それ即ち、『実家にとっては、それくらいどうとでもなる、何の問題もない些細なこと』だということである。

ならば、『貴族としては』善人で、孤児に対する配慮をしてくれる領主様は『賭ける』だろう。

たとえ負けても自分には何の損失もない、その賭けに……。

よし、とりあえず、嘆願書を出そう。

＊　＊

あっさりと、面会の許可が出た。

『リトルシルバー』の免税願いの時は、ただ嘆願書を出して、使いの人が返事の手紙を届けてくれただけで、別に領主様に直接会ったわけじゃない。

でも、今回使いの人が届けてくれたのは、返事の手紙じゃなくて、招待状だった。

うん、『招待状』。召喚状とかじゃなく。

まぁ、私達を他国の貴族か何かの娘だと思っているから、下手に出てくれているのだろうな。

それに、今回はただ私からの嘆願書を読んだだけで簡単に許可できるようなことじゃないだろうから、直接会おうとするのは当たり前だろう。


……で、指定された時間に領主邸に行ったわけだ。私とレイコのふたりで。

いや、話だけなら私ひとりで充分だけど、荒事になった場合には、レイコがいてくれた方が安全だからね。

大勢の敵に囲まれた状況から脱出するには、やはりポーション能力より魔法無制限の方が圧倒的に便利だろう。

領主様と大立ち回りを演じたりすれば、当然のことながら、この街に住み続けることはできない。その場合は、ミーネとアラルを連れて脱出、逃避行だ。なので、あまり無茶をやらなければ、魔法の行使もやむなし！

ポーション能力の限界は、この前、充分思い知らされたよ。

ミーネとアラルは、念の為、地下室に隠れさせておいた。地下室には、ちゃんとトイレも設置してあるから安心だ。そしてミーネには、アラルに文字の読み書きや色々なことを教えてあげるように指示してある。

そして、使用人に案内されて、領主様に会って挨拶して、向こうからの最初の言葉が……。

「飛び抜けて旨い干物と干し肉を売っているそうだな。うちにも納入してくれ！」

何じゃ、そりゃあああ～～!!

……いや、旨いけどね、確かに。

ポーション製の汁に浸け込んで、レイコが学んできた製法で作る。

そして化学変化と水分の減少により旨味成分が凝縮されて、何とも言えないあの味になるのだ。

その辺りの魚屋や肉屋、市場のおっさんとかが適当に干したやつとは、モノが違うよ！

……って、今はそんな話をしに来たわけじゃない！

「……は、はぁ、恐悦至極、光栄の至り……」

そう言って、適当に返事をすると……。

「あ～、よいよい！　そのような堅苦しい喋り方はしなくてよい。面倒だから、普通に喋ってくれ」

どうやら、上下関係の作法やしきたりにはあまりうるさくない人らしい。

こっちも、王族とタメ口を利いたことのある身だ、そう言ってくれるなら……。


ツンツン！

分かってるよ、そう突かなくても、さすがにタメ口じゃ喋らないよ！

くそ、レイコのヤツ、私がそこまで馬鹿だとでも思ってるのか？

いや、それは置いといて……。

「はい、後程(のちほど)届けさせます。もしお気に召しましたら、次からは御注文いただければ……。但し、しばらく皆で旅に出ますため、次の納入はその後となりますが……」

「何、旅に出るとな？　里帰りか何かか？　どれくらいの期間になるのだ？」

よし、いい導入部だ。

嘆願書には、孤児院の閉鎖前1年間に養子に貰われていった孤児達の現状確認とフォローを、とかいう、比較的穏便な表現に留めておいたのだ。だから、領主様は私達が人を雇って調査員を派遣する、という程度に受け取っていたはずだ。

少なくとも、『お嬢様』が数人の孤児達のために危険を冒して旅に出るなどと考えるはずがなく、なので私達が旅に出ると聞いても、そっちとは頭の中で繋がらなかったのも無理はない。

「いえ、ちょっと、虚偽の申し出により不当に拉致(らち)されました子供達を奪還(だっかん)しに行こうかと思いまして……」

「な、何！」

驚いて、思わず椅子から腰を浮かせかけた領主様。

ま、そりゃ驚くか。小娘ふたりがそんなことを言い出せば。

「…………」

黙り込んじゃってるけど、多分、頭の中で色々と考えてるんだろうな。

私が予測したとおりの結論になってくれるといいんだけど……。

「……詳しく聞こう」

よっしゃ！

＊　　＊

「……そういうわけで、取り調べの時の記録、特に相手方についての情報が欲しいのですが……。それと、『領主様の黙認』という裏取引を……」

さて、領主様は、どう出るか。感触としては、良さそうな感じなのだけど……。

「……記録を見せるのは構わん。しかし、黙認はできん！」

え？

しまった、領主様には内緒で、こっそりやるべきだったか！

いや、しかし、売られていなくなったはずの孤児達の姿があれば、すぐにバレて調査されるよねえ……。イカン、ちょっとマズいことになっちゃったか……。

「そのような話、誰が黙認などするものか！　公認だ、公認！　立場上、具体的な命令をすることはできんが、孤児支援組織『リトルシルバー』による孤児救済のための活動に対し、我が領は全面的に支持を宣言する!!」

……あれ？

『貴族としては、いい人』って聞いていたんだけど、これって、普通に『いい人』じゃね？

＊　＊

「……なるほど……」

レイコと一緒に、領主邸の資料庫で例の件の記録を調べている。

勿論、ここを管理しているお役人さんが一緒に来て、色々と手伝ってくれている。

いや、ここの担当者がいなきゃ、どこに何があるのか分かんないよ！

そして更に……。

「これで大体、必要な情報は揃ったかな……」

なぜか、領主様もいる。

いや、『こんな面白そうなこと、放っておけるか！』とか言って……。

「……で、どうやるつもりなのだ？」

「……」

「ちょこっとだけでいいから、教えてくれ」

そんな、『先っちょだけでいいから』みたいに言われても……。

「………」

「なぁなぁ、作戦を、ほんのちょびっとでいいから……」

……ウザい。

まぁ、領主なんか、責任ばかり大きくて、ルーティンワークのつまらない仕事が多くて、自由に遊びに出ることもできない、退屈な仕事なのだろう。

自分の指示に反論したり諫言したりしてくれる部下もおらず、使用人達はただ自分の顔色を窺うのみ。……そんな生活の、どこが楽しいのか。

下手すれば、部屋住みの三男坊とかの方が、よっぽど自由奔放に楽しく遊び回れて、人生を謳歌できて幸せなんじゃなかろうか。

権力や身分は、そこそこあればいいよね。

あまり大きすぎたり高すぎたりすると、人生、楽しくなくなっちゃうからねぇ。

私があまり目立つのを好まないのも、そういうのがあるからだ。祭り上げられ、神輿に担ぎ上げられて、常に人の目があって自由にできない人生なんか、全然楽しくないよ。

多すぎても困らないのは、お金だけだよ！　うむうむ。

でも、いくら娯楽に飢えているであろうことを気の毒には思っても、ウザいものはウザい。ここは、穏便な理由をつけてお引き取り願おう。

「ウザいから、さっさと自分の仕事に戻ってくださいよっ！（領主様のお手を煩わせるのは申し訳ないですから、ここは部下の方と私共にお任せください！）」

「え……」

引き攣った顔で固まった、領主様。

え、何で？

「……カオル、多分、口に出した台詞と心の中で呟いたであろう台詞が、逆……」

「あ……」

信じられない、という顔をしている領主様と部下の人の様子から見て、多分、レイコが言う通りなんだろうなぁ……。

失敗した‼

＊　　＊

「カオルぅぅ！」

「ごめんってば……」

うん、一歩間違えれば、不敬罪で大変なことになっていたかもしれない。苦笑いしながら執務室へと戻ってくれた領主様、やっぱり人間ができた、いい人だな。

そして、同じく苦笑いしていた部下の人と一緒に半年前の取り調べの記録を全て確認し、ミーネ以外の3人の孤児達が養子として引き取られていった先、そして隣国側の仲介者のことを全て把握した。勿論、メモを取ってある。

当時、領主様は悔しい思いをしながらも、自領の者である二代目の孤児院院長を処罰することし

?
ゴッ

かできなかったらしいけど、当然のことながら、この国の上層部や他領の領主、孤児院等の全てに情報を廻し、連中が同じようなことを繰り返せないようにしたらしい。

……少なくとも、この国においては。

他国についてはどうしようもなかったらしいが、それは仕方ないであろう。国内の他領に情報を廻して警告しただけでも、立派なものだ。

まぁ、領主によっては、僅かばかりとはいえわざわざお金を払って、役立たずで金を食うだけの孤児を引き取ってくれるのであれば良いことではないか、と言って取り合おうともしなかった者も居たそうだけど、それは仕方ない。人、考えはそれぞれだし、世の中、馬鹿な者もいる。

孤児院に仲介を頼むのではなく、浮浪児をスカウトすればいいのに、と思うんだけど、孤児院だと幼い時から読み書きや簡単な算術を教えているし、行儀やら一般常識やらの躾や教育もしているし、そして健康状態もきちんと管理されているから、……つまり、そういうことなのだろう。

言い方はちょっと悪いけど、『野良犬を拾うより、ペットショップかブリーダー、もしくは里親斡旋組織でちゃんと躾済みで、予防注射とかもしてあるやつの方がいい』ってことだ。

最初に少しお金が掛かっても、結果的にはその方が安上がり、という……。

人間を犬や猫と同列で論じるのは不謹慎だけど、ま、子供達を実質的に奴隷扱いするような連中なのだから……。

よし、調査完了！　あとは、領主様のところに顔を出して、もう一度さっきのことを謝って、引き揚げだ。

……明日の干物とジャーキー、ちょっと張り込まなきゃなぁ。実家から送ってきたということにして、飴玉も付けるか……。

あと、頑張って資料確認を手伝ってくれたおじさんにも、何か贈ろう。

お酒なんか、喜んでくれそうだな。私とレイコ用に能力で出している、地球のやつ。

飲めなければ、換金してもらえばいいし。多分、そこそこの値段で売れるだろう。

＊　　＊

そして、３日後。

全ての準備が整った。

情報入手、ヨシ！

お得意さんへの商品の納入と、しばらく仕入れの旅に出るから店はお休みとの告知、ヨシ！

……かなり渋られたけど、仕方ない。多分向こうもそれくらいのことは分かってくれていて、ちょっと愚痴を溢（こぼ）しただけだろう。

家の防犯対策、ヨシ！

地下1階から下へ降りる階段は、アイテムボックスから岩を出して塞いでおいた。

あんなところにスッポリと嵌まった岩を、盗人如きにどうこうできるわけがない。

釣り用のボートは、アイテムボックスに収納済み。

地下1階には、孤児院の時の家具やらゴミ同然の無価値なものやらを少し置いて、金目のものは全部アイテムボックスに収納した。

……いや、『餌付け』は良くないからね。『リトルシルバー』に盗みに入ったら稼げた、なんて既成事実を作ったら、後が面倒だ。

そして勿論、罠を仕掛けた。

うん、来るだろうからねぇ、美味しくて高値で売れる干物やジャーキーの製法の秘密を探りに、とか、金持ちの娘が隠しているであろう金貨や宝石とか、色々なものを求めて……。

勿論、あちこちに貼り紙をしたり、立て札を立てておく。凶悪な防犯装置があるから、侵入者の命の保証はしないこと。そして、罠には毒が塗ってあることを、はっきりと明記して。

一応、罠は引っ掛かっても死なない程度にしておくか。

トゲに塗るポーションは、激痛と発熱、そして患部が腐り落ちそうな不気味な色に変色して腫れ上がるやつにするかな。そして罠の側には、『解毒薬あり〼。金貨10枚』と書いた貼り紙でもしておくか……。

私達が戻るまで、いつ死ぬか、いつ手足が腐り落ちるかと、気が気じゃあるまい。ふははは！

「鬼か！」

「いや、レイコもそれくらいやるじゃん、いつも。あの、恭ちゃんに付きまとっていたストーカー野郎を嵌めた時に……」

「その話はするなあああァ〜!!」

うん、『認めたくないものだな、自分自身の、若さ故の過ちというものを』ってやつだよね。


ミーネとアラルの準備……、ヨシ！

いや、ふたりには元々荷物というか私物というか、そういうものは一切なかったから、荷造りもクソもない。

それに、そもそも私達には『荷物を纏める』だとか、『持っていくものを選択する』というような概念がない。全部アイテムボックスに突っ込んどきゃいいんだから。

「ヨシ！」

「私はスルーかいっ！」

レイコが何か喚いているけど、とにかく、ヨシ！

アラルはよく分かっていないようだけど、ミーネは完全に理解している。

私達が、ミーネの昔の仲間達のために危険（笑）を冒そうとしていることを。

少し後ろめたそうな、申し訳なさそうな、そして心配そうな眼。

そりゃまぁ、ミーネは私とレイコのことをただのお金持ちの子供だと思っているだろうからねぇ。

……でも……。

「カオル、ふたりに教えるの？」

「え、何を？」

レイコが、また何やら言ってきた。

「いや、一緒に旅をするなら、アイテムボックスのことと馬達と会話ができることはバレるでしょ。まさか、旅の間ずっと、アイテムボックスを使わず、馬達とも会話しない、ってことはできないでしょうが。……あまりにも不便すぎて……」

あ。

あああ。

あああああああっっ!!

気が付かなかった……。

「教えないとなると、ベッドも、水や食料、着替えやその他諸々も……」

「そう、使えるのは最初に馬車に積んだものだけになるわよね、当然。

勿論、ベッドは使えないし、テントはいちいち組み立てなきゃ駄目。そして、宿に泊まった時には、夜のうちに盗人やタチの悪い厩番、その他の宿の従業員とかに積み荷を抜かれるわよね……。

勿論、夜営の時には新鮮な食材、大量の水とかをバンバン出すのもダメ、身体清浄魔法や衣服洗浄魔法とかも自粛よ」

「死んでしまうわっっ!!」

この世界では、初っ端の、碌に準備もできていない状態での逃避行でさえ、アイテムボックスとポーション作製能力のおかげで楽ができた。以後、アイテムボックスとポーションのない生活は考えられず、常にその恩恵に与ってきたのである。いきなりそれが禁止となると……。

「死んでしまうわっっ!!」

……大事なことなので、2度言っておいた。

いや、普通の旅人達は皆、それが当たり前なんだけどね。

勿論、『死んでしまう』という方じゃなくて、そういう状態で旅をすることが、だけど……。

「……まさか、こんな落とし穴があろうとは……」

レイコと相談して、仕方なく、ミーネとアラルに情報の一部開示をすることで合意した。

しかし、どこまで教えるか。また、『ふたりに理解できるよう、内容をどのようにアレンジするか』ということについては、まだこれから相談だ。

「アイテムボックスについては、教えざるを得ないよねぇ……」

「うん。で、その説明だけど……。そういう能力を持っている、ってことにする？　それとも、無限に収納できる謎のバッグとか収納機能が付いた指輪とかのおかげとして、特別なアイテムを使ってることにする？」

う～む、悩みどころだなぁ……。

狂信者や、絶対の忠誠を、とかいうのは、もうお腹いっぱいなんだよねぇ……。

『女神の眼』のみんなは、女神としての私に対しては狂信者であったけれど、普段の私、つまり

『同居人の、カオル』には普通に接してくれていた。

でもあれは、同じ孤児仲間がいて、みんなでそうしようと決めたからだろう。私の望みをちゃんと理解して。

しかし、アラルはまだ幼い。だから、ミーネはアラルの分も含めて、全てを自分が背負い、自分が判断し、……そして自分が責任を取ろうとしている。

だから、ミーネにおかしな重圧や、判断に苦しむような負担をかけちゃいけない。

シンプルに、何も悩まず、何も考える必要がないように、うまく説明しなくちゃ。

そのためには……。

……。

………。

…………いかん、いい案が浮かばん！　思考が堂々巡りして、無為に時間が過ぎるのみ……。


「いい考えがあるよ」

「ホント！」

さすがレイコ、年の功！

「で、どんな案？」

期待に満ちて、レイコの顔を見詰めていると……。

「私達が女神の御使いだということにするの。そうすれば、どんな奇跡や不思議現象を見ても驚いたり不審に思ったりしなくて済むし、私達が言うことは絶対だから、自分では何も考える必要がないので、悩んだり心配したりすることもない。……完璧でしょう？」

「思考停止かあああぁっっ！　そして、狂信者ふたり、一丁上がりいっ、てかああああっっ！

それ、私が一番避けたいヤツじゃん!!」

「あ、やっぱり？」

このヤロウ……。

分かっていて、わざとだな。そういうヤツなんだよ、コイツは!!

……いや、別に嫌がらせというわけじゃない。

こうして、考えが行き詰まった時に、わざと全てを台無しにするような案を出して、思考の沼に嵌まり込んでいる状態をリセットしてくれるんだ。

そうして思考が振り出しに戻り、嵌まり込んだルートではなく、他のルートで検討し直すことができる。

……うん、やっぱりレイコは頼りになるなぁ。

で、仕切り直して……。

「アイテムボックスは、私達ふたりとも使える、ってことにしとかないと、色々と面倒だよね。

そして、ポーション、特に治癒ポーションの存在は明かさないと、ミーネ達が怪我をしたり病気になったりした時に面倒なことになる。

……まぁそれは、『実質的には一発で治るけど、外見的や症状的には、ゆっくり治っているように見える』というポーションにして、『凄くよく効くけれど、あくまでも普通の薬の範疇』ってことで何とかするか……。私達の実家に伝わる秘薬、ってことでいいかな」

それくらいしか、やりようがない。

「ハングとバッドは、女神の愛馬の子孫で、飼い主の言葉が分かる神馬。盗賊や悪党に襲われたときに私が使う爆裂ポーションは実家の秘伝で、レイコの魔法は、女神に与えられた神力。

これらをうまく説明できる、この世界の子供達に対して説得力のある設定といえば……」

「「私達が、女神か、女神の御使いである！」」

「「…………」」

互いに眼を見詰め合う、私とレイコ。

「「だよね～!!」」

＊　　＊

「「えええええええっっ!!」」

私達の説明に、軽く握った両手の拳を口元に当て、眼を大きく見開いて驚くミーネと、同じく愕然とした顔で固まるアラル。

「カ、カカカ、カオル様とレイコ様が、魔法使い!!」

うん、そういうことになった。

……『魔女っ子』言うな！

油断してマミらないよう、気を付けよう……。

この世界には、ドラゴンとかの一部の魔物が使うものを除いて、実用的な魔法は存在しない。

でも、そういう『魔法の実在例』があるし、人間も、人生の全てを魔法の研究に捧げた金持ちの研究家とかがいて、ロウソクの炎くらいの火魔法や、点滴の滴りくらいの水魔法は使えることもあるらしい。

昔、ある国の王宮で王族に対してデモンストレーションが行われたことがあるらしく、人間が魔法を使える、ということ自体は、周知の事実らしいのだ。

……その威力は、今言った通りだけどね。

だから、人々は魔法の存在を疑うようなことはない。……というか、その存在を知っている、という方が正しいか。

まぁ、女神の実在と、その奇跡の力を何度も思い知らされているというのに、今更魔法の存在を否定するはずもないか……。

そして当然のことながら、多くの娯楽モノ、つまり芝居、英雄譚、吟遊詩人の持ちネタ等においては、超人的な活躍をする魔法使い達が頻繁に登場する。

魔法が欠片も存在しない地球においてさえ、そういう物語が無数に溢れていたのである。魔法が実在するこの世界において、そうならないはずがないであろう。

そして物語以外に『まともな情報』、『正確な知識』を得る方法を殆ど持たない普通の人達は、魔法というものを『そういうもの』だと認識しており、身近で魔法使いを見ることがないのは、『魔法使いは自分の能力を誇示したり驕ったりすることなく、能力を隠して普通に生活しているから』だと思っているのだ。

もしくは、王宮の秘密の研究室とか、辺境の地の高い塔のてっぺんとかに住んでいるとか……。

……そう、物語では大抵そうであるように……。

そういうわけで、この世界では『魔法使い』とか『魔女』とかいうのは憧れのスーパーヒーロー、スーパーヒロインであり、決して悪いイメージじゃない。

そして、女神様やら御使い様やらの、宗教とか奇跡とか、そういうのとは違う。

魔法は、あくまでも普通の人間が、自分の努力と才能で辿り着き手に入れた力であり、王宮の近衛騎士団長とか、国で一番の大商家の創設者とか、そういった『人間の力で成し遂げた偉業』に過ぎない。

つまり、『雲の上の人』ではあるが、その存在は不思議でも何でもない、ただの『メチャクチャ凄い人』というだけのことだ。

……普通の人間が、ましてや15歳前後の小娘が到達できるようなものではないけれど……。

い～んだよ、細けぇこたー!!

＊　　＊

「準備完了！」

うん、取引相手への連絡と纏まった量の商品納入、ここの『盗まれたくないモノ』のアイテムボックスへの収納と防犯対策、領主様への根回し、ミーネとアラルへの説明、そしてハングとバッドへの説明と、全て終えて、昨夜は早めに寝て、今朝はみんな元気いっぱい。

アイテムボックスに入れていた作り置きのもので食事も済ませ……。

「よし、出発！」

「「「お〜！」」」

勿論、ミーネ達も連れていく。

ミーネとアラルをふたりだけでここに残していくわけにはいかないし、目的の3人は、全員ミーネとは顔見知りである。だから、私達を信用してもらうためには、ミーネの存在は不可欠だ。

突然、見知らぬ未成年らしき子供が現れて『面倒を見てやるから、今の生活を捨ててついてこい』なんて言われて、ホイホイついてくるような馬鹿はいないだろう。それも、底辺を這いずり回って生きてきた上、既に1回、手酷く騙された後とあっては……。

なので、ミーネに説明してもらうのが、一番話が早い。

養子先……実際には、正式な養子手続きなんかしておらず、ただの給金数十年分前渡しの丁稚奉公の契約書があるのだろうけど……は完全に敵に回るだろうから、本人には完全にこっちを信用して味方になってもらわないと困るからね。

まぁ、それがなくても、ふたりを残していくという選択肢は初めからなかった。当たり前だろう。

領主様と約束した干物とジャーキーは、既に届けた。

勿論、裏口からお邪魔して、使用人に渡しただけだ。こんなものを渡すのに、わざわざ領主様を呼ばせるような納入業者はいないし、そもそもそんなことを取り次ぐ使用人もいないだろう。

サービスに、漬け物（たくあん、カブ漬け、キュウリの浅漬け等）と飴玉、そしてブランデーも数本付けておいた。干物や漬け物は自家製だけど、飴玉とブランデーはズル（チート）。

あ、調べ物を手伝ってくれた人用のも、ちゃんと用意した。そういうとこは、きちんと礼をしておかなくちゃね。こういう心遣いが、いつか自分に返ってくるんだよねぇ……。

あと、干物用にと、醤油の小瓶をひとつ。

ちゃんと、使い方を書いたメモを付けてある。干物を炙（あぶ）るコツとかも。

いや、それくらいはここの料理人も知っているだろうけど、念の為に。料理人が、素人の子供が作ったものなど信用できないと思って、火を通しすぎるかもしれないからね。

なので、ちゃんと封をして領主様に宛てた手紙に、そのあたりのことも書いておいたのだ。

……うん、『目黒のサンマ』になったんじゃあ、領主様があまりにも気の毒だ。楽しみ、少ないだろうからねぇ。

しかし、貴族や大商人とのコネを、と色々考えていたのに、まさかこんなことで領主様と直接関わることになろうとは……。

ま、いいか。

世の中、そうそう計画通りに進むものじゃない。思わぬアクシデントもあれば、思いもしなかった僥倖もある。これは、どちらかといえば『僥倖』寄りの出来事だろうから。

戸締まりも終えて、家の前に立つ、私、レイコ、ミーネ、アラル、そしてハングとバッド。

よし、行くよ！

「出でよ、魔法の馬車！」

でで ん！

「「うわあぁぁ～～!!」」

いきなり目の前に出現した、装甲馬車。

そう、3台の馬車のうち、おかしなのに絡まれるのを防止するためにゴツい外見にした、街道の虫除け走行用のやつだ。御者台にダミー人形を乗せるヤツ。

地球では、魔法によってカボチャが馬車になるのは、常識。

そしてこの世界では、魔法で馬車がいきなり現れるのは、常識。……多分。

ミーネとアラルが上げた声は、勿論、悲鳴ではなく『歓声』だ。

生まれて初めて見た、魔法。そりゃ、歓声のひとつも上げるだろう。

「ハング、バッド、頼むよ！」

『『お任せあれ!!』』

輓具（ハーネス）を装着する位置へと自分から移動したハングとバッドを見て、固まっているミーネとアラル。

何だか、馬車を出した時より驚いてるなぁ。……どうしてだろう？

「どうしてそんなに驚いてるの？　ちゃんと説明したじゃない、この2頭は昔女神様とも御使い様とも言われていた人の愛馬だった神馬の、子孫だって。

だから、飼い主が言ったことはある程度理解できる、って……」

私がそう言っても、アラルは『納得できない』というような顔をしている。

そして、ミーネが私の顔をじっと見詰めて……。

「い、いいえ、今のは、『馬が主人の言葉を理解した』というのじゃなくて、カオル様が馬の言葉を喋りましたよね？」

「え？」

あれ？

え？

えええええええ？

レイコの顔を見ると、口を半分開けて、ぽかんとした顔をしていた。

「しまったあああぁ〜〜!!」

その設定だと、私達は人間の言葉で喋り、ハング達がそれを理解できなきゃならない。

私が馬の言葉を喋れば、どの馬でも理解できて当たり前だ。

私もレイコも、そこには全然気付いていなかった。

完全な、設定ミスだった……。

「も、もしや……」

「カオル様が……」

ああっ、マズい！　ふたりに本当のことがバレる！

どんだけ勘が鋭いんだよ、このふたり！

「「カオル様が、神馬の子孫!!」」

「何でやね～～ん!!」

＊　＊

「誰が、馬の子孫じゃい！」

「「ご、ごめんなさい……」」

いや、まぁ、いいけどね……。

既にハングとバッドに輓具(ハーネス)を付け終え、移動を開始している。

ダミー人形(オスカー)を御者台に乗せるのは、街を出て、少し離れてからだ。でないと、街の人達に『御者台に座っているのは何者だ？』と思われちゃうからね。私達は割と顔を知られてるから。

今は、レイコが御者台に座っている。そして私は、客室内でミーネとアラルに説明中。

「あれは、人間の言葉で馬に話し掛けていると『気の毒な人』だと思われちゃうし、ハング達が人間の言葉を理解する馬だと思われたら良からぬことを考える者が出るから、私が馬との親睦(しんぼく)のために適当に馬っぽい鳴き声を真似ているだけ、と思わせるためにああやってるの。

神馬の子孫として飼い主の言うことが分かるのは、別に人間の言葉を理解しているわけじゃなくて、飼い主の思いを感じる力のおかげだから、口から出す言葉は関係ないからね」

「「なるほど……」」

よし、チョロい！

「じゃあ、私は御者台に戻るから、ふたりはゆっくり休んでいてね。但し、寝るのは禁止！　夜、眠れなくなっちゃうからね」

「「はい！」」

これでOKだ。

あんまりひとりで御者台に座らせているとレイコが怒るから、話し相手をしてやらないと……。

街から充分離れれば、ダミー人形(オスカー)を座らせて、みんなで客室でワイワイやればいい。

元孤児院(リトルシルバー)では、どうしても雇用主と使用人、という感じで壁ができちゃうけど、狭い馬車の中で向かい合って座っていれば、砕けた会話もできるだろう。

ミーネとアラルは、ちょっと固すぎる。

いや、ふたりの立場としてはそれが普通なんだけど、ミーネは特に私達に対する態度が固いし、ミーネをお手本とするアラルも、当然のことながら、それを真似る。もう少し自然にして欲しいんだよねぇ。

……そう、あの、『女神の眼』のみんなのように……。

＊　＊

「……カオル様はああ言っていたけど、どうするの、ミーネ姉ちゃん……」

「勿論、カオル様とレイコ様がああ言われているのだから、そのようにするのよ。なぜ私達にそう言われるのかは分からないけれど、おふたりが『そういうことにしておきたい』とお考えなのであれば、私達は『そういうことだということにする』しかないでしょ？　だから、おふたりは『魔法使い』なのよ、決して『御使い様』ではなく！」

「うん、分かった！」

アラルにそう指示しながら、ミーネは首を傾げていた。

女神の知恵。

孤児達に対する慈悲。

数々の奇跡。

神馬が牽く、女神の馬車。

動物と言葉を交わす。

それらは全て、教典の『御使い様の御慈悲』の章に出てくるお話であり、子供用であろうが大人用であろうが、その章が記載されていない教典などない。

どこの国でも、孤児院で教典の読み聞かせをしないところなどないし、一般家庭の子供達も、神殿での礼拝で、そして家庭で両親から、何度も教えられる。

……つまり、今まで見聞きしたことと先程の説明は、はっきりと『私達は御使いである』と宣言したに等しかった。

聡明なミーネにそれが分からないはずがないし、そのことは当然、カオルとレイコも知っているはずである。

（なのに、どうして本当のことを教えておきながら、表向きはそれを隠しているようなことを言われるのだろう……。私達には分からない、何か深いお考えがあるのかなぁ……）

ミーネ、察しが良すぎであった。

……そして、深読みのし過ぎである。

しかし、仕方がなかった。

まさか、御使い様達が自分より馬……そのようなポカをやらかすなどとは、思ってもいなかったのだから……。

第五十八章　ひとりめ

街から充分離れてから、御者台には2体のダミー人形を座らせた。

そして、4人で客室内でワイワイと歓談。

初めは態度や言葉遣いが硬かったミーネとアラルも、お菓子とジュースが効いたのか、しだいに打ち解けてくれた。

旅は順調に進み、おかしなのに絡まれることもなく無事国境を越えて、隣国へ。

途中の休憩や夜営は、街道脇の『それ用の空き地』を使うことなく、馬車ごと街道から外れて、街道からは見えない場所に回り込んでの単独行動。

いや、他の旅人に同じ場所で休憩や夜営をされれば、子供ばかりだということがバレちゃうからね。

こんな、軍用としか思えないゴツい馬車と、一目で高価な名馬だと分かる白馬2頭で子供達だけ、とかいうのがバレれば、どうなるかは馬鹿でも分かる。

比較的まともな者であっても、据え膳（すえぜん）というか、目の前に置き忘れられた財布があれば、魔が差すこともあるだろう。

何もなければ犯罪を起こすことなどなかったはずの者に、わざわざ美味しそうな餌をちらつかせて犯罪者をつくり出す。

……殆ど、犯意誘発型のおとり捜査だ。

なので、この馬車の乗員構成は、絶対に他の者に知られるわけにはいかない。

街に入る時には、少し手前で馬車を収納して、鞍を着けたハングとバッドに乗っていく。

高価そうな馬2頭と子供が4人、というのも充分カモネギだけど、街にはいったら真っ直ぐに高級宿屋へ向かい、そのまま一歩も外出しなければ大丈夫だ。

そして翌日は、街を出てすぐに人目を避けて装甲馬車に乗り換えればいい。そうすれば、後をつけて、とか企んだ連中は、気付かずにそのまま追い抜いていくだろう。バルモア王国からこっちへ来るときに、さんざん使った手だ。

そして……。

「この街が、ひとり目が売られたところよ」

そう、ミーネ以外の『売られた3人』のうちのひとりがいる街だ。

「領主様が、私達の身分、というか、立場というか……を証明する書付を書いてくださったけど、それはあくまでも『最後の手段』よ。『拳銃は、最後の武器だ！』っていうのと同じね」

「どうしてそんな古いネタを知ってるのよ！」

レイコに突っ込まれたけど、……アンタも知っとるやんけ！

「……いや、とにかく、ここは他国だから、うちの領主様の書付には絶対的な効力があるわけじゃなくて、ただ単に他国の貴族が『この子達は怪しい連中ではありませんよ』、『身元は私が保証しますよ』って書いた紙切れに過ぎないからね。

そしてそれは、私達が犯罪者だと思われた時にそれをチャラにしてくれるほどのものじゃないし、そんな時に言い訳のために見せたら、領主様に迷惑がかかるからね。

他国の貴族に弱みを握られるなんて、貴族としちゃ下策もいいところよ。いったい、どうしてそんなものを書いて寄越したのやら……。それが印籠のような効果を発揮するのは、自分の領内だけだよねぇ」

私がそう言うと、レイコも少し呆れたような顔をした。

「多分、自分が不利になることよりも、『窮地に陥ったときにこれを見せれば、隣国の貴族に恩が売れると思ったその地の貴族が、この少女達を殺さずに取引材料に使おうとするだろう』とでも考えたんじゃないかしら？　貴族として、領主としては、ちょっと……」

「『甘過ぎるよね〜！』」

でも、それでもいいからと思い、私達の命を優先してくれたのだろう。

……馬鹿だ。

でも、私達は、そういう馬鹿は嫌いじゃない。

だから、そういう者には損をさせないし、期待は裏切らない。

「作戦は、予定通りA-3で。イレギュラーが発生した場合は、適宜(てきぎ)副次作戦を選択。副次作戦でフォローしきれない場合は、メインの作戦を変更。最悪の場合は、全てをぶっ潰して目標(ターゲット)を奪取、欺瞞(ぎまん)工作のためそのまま一旦(いったん)帰投方向の逆側へ脱出。いい？」

「了解(ラジャー)！」

「ら、らじゃ！」

「らじゃ……」

うん、正面から行って正規の話し合いや交渉を行(おこな)っても、無駄だ。

書類は『数十年分の給金前渡し済みの、住み込みでの奉公』ということになっているそうだし、それは偽造ではなく正式な書類らしい。孤児院の責任者と領主様の部下のサインも入っているらしいから、そこはどうしようもない。

書類が完全に揃っていて、最初から『そういうつもり』だったのに、私達が交渉したからといって、黙って引き渡してくれるはずがない。

いや、お金を払えば、そりゃ引き渡してくれるかもしれない。

でも、向こうは『悪い商人』で、こっちは『見た目は子供』だ。私達がお金を持っていると知れば、思い切り吹っ掛けてくるのは当たり前だし、下手をすれば、それ以上のものを得ようとするかもしれない。……うん、色々と、ね……。

それに、もしお金で片が付くとしても、それはやりたくない。

書類に記載されている金額は架空のものであって、あの2代目の院長が実際に受け取った金額よりずっと多いだろう。それに、儲かりそうだと思えば、違約金やら迷惑料やら、色々と追加してくるのは間違いないし。

そうなると、そのお金で、またどこかの孤児院から子供を買うだろう。儲かったお金で、今度はふたり、3人と……。

なので、それらを阻止すべく、ここは先人の例に倣うことにした。

……うん、ミーネがやったという方法を、全面採用することにしたのである。

＊　　＊

「イリー……」

「え？」

倉庫で品出しの仕事をしていた10歳の少女イリーは、耳元で自分の名を呼ばれたような気がしたが、ふるふると首を振った。

「何か、ミーネに呼ばれたような気がしたけど、気のせいか……。

私は騙されてこんなところへ来ちゃったけど、あの子は孤児院で無事に過ごしているかなぁ。

せっかく養子に貰われて普通の生活ができると思っていたのに、審査の目を潜り抜けてのこんな詐欺に引っ掛かるなんて、運がないよねぇ、私……。新しい両親に、一生懸命恩返しをするつもりだったんだけどなぁ……。

でも、新院長も、そうそう何度も騙されることはないだろうから、私以外の貰われていった子は、みんな養子に行った先で幸せに暮らしているんだろうなぁ。

……私も、準備が整ったらこんなところ逃げ出して、孤児院に戻るわよ。そして、詐欺のことを新院長に知らせなきゃ……。

院長先生の薫陶を受けて育った私達を、甘く見ないで欲しいわね……」

倉庫には他の者はいないので、声に出して呟いても問題はない。そう、ひとりで仕事をしていると、独り言が多くなるのは仕方ないことなのである。

勿論、扉が開かれる音がしたり、光が差し込んで明るくなったりすれば、すぐに口を噤む。

「まぁ、もう暫くは、雌伏していなきゃね。慎重に準備を整えて、その後は、孤児院に。そして、またみんなと一緒に……」

「ざ～んねん、孤児院は、もうないんだよねぇ……」

「ぎゃあああああ!!」

ばっ、とその場から飛び退るイリー。

自分以外は誰もいないはずの倉庫。

扉が開く音も倉庫内の明るさの変化もなかったことから、誰かが入ってきたはずはない。

なのに、薄暗い倉庫の中で、自分の耳元で囁かれた言葉。

しかしイリーの頭の中は、恐怖よりも先に、危機感に埋め尽くされていた。

（聞かれた!!）

イリーは既に10歳である。他には誰もいない倉庫の中で、密かに忍び込んだ男に何かをされる、という可能性については、勿論知っている。しかし今のイリーにとっては、そんなことよりも、先程の自分の独り言を聞かれたという可能性の方が、より最悪の事態であった。

そして、襲われた時のためにいつも懐に入れている木串を取り出して強く握り締め、目を細めて薄暗い倉庫の中を見回した。腰をやや落としての、臨戦態勢である。

最早（もはや）、余計な言葉は発さない。

こうなったら、殺（や）るか殺られるか……。


「待った！　待った待った待った待ったあぁ！　私だよ、イリー！　ミーネだよっ!!」

「……ミー……、ネ……？」

しかし、焦ったようなその言葉を聞いても、イリーが臨戦態勢を解く様子はなかった。

そう、確証もないのに相手の言葉を信じるのは、三流がすることである。

孤児院で、院長先生（おとうさん）から、そう教わった。

「あ～、もう……。レイコ様、魔法を解いてください！」

「はいよ！」

ぽんっ！

そして、イリーのすぐ近くに３つの人影が現れた。

「ミーネ！」

小さくそう叫んで、ミーネに飛び付こうとしたイリー。

「ぎゃあ！」

そして、乙女らしからぬ悲鳴を上げて、慌てて飛び退るミーネ。

無理もない。飛び付こうとしたイリーは、その手に木串をしっかりと握り締めたままだったので、そのまま抱き付かれれば、それがぐっさりとミーネに突き刺さってしまいそうだったのだ……。

＊　　＊

「……じゃあ、昨日一日様子を見て、私に接触する一番いい時と場所を選んだ、ってこと？」

「うん。カオル様とレイコ様の『ふかしふぃーるど魔法』のおかげで、堂々と様子を見ていられたのよ」

今回、倉庫に侵入してイリーがひとりだけなのを確認してからもすぐに姿を現さなかったのは、侵入者に対してイリーが反射的に攻撃することを警戒してのことであった。

イリーなら絶対に攻撃してくる、とミーネが強く主張したので……。

「う〜ん、魔法使い、ねぇ……」

イリーは９歳であるミーネよりひとつ年上の、10歳らしい。

その分、常識があるからか、不可視フィールド以外の魔法を見ていないからか、それともミーネとは違って別に私達を命の恩人だと思って忠誠を誓っているわけじゃないからか、どうやらミーネの言うことを信じ切れていないらしい。

「じゃあ、おふたりが魔法使いで、一緒に行こう、というお誘いには……」

「ちょっと、二の足を踏むなぁ……」

ありゃ、信用してもらえなかったか……。

私達ふたりはともかく、ミーネの言うことなら信じてもらえると思ったんだけどなぁ……。

でも、それは仕方ない。

本人が現状維持を望むなら、私達が無理に連れていくわけにはいかない。

残念だけど、次へ……。

「それじゃあ……」

あれ、ミーネはまだ説得するつもりかな。

まぁ、仲間を助けたい、という強い気持ちがあるだろうから、諦め切れず、何とか説得したいと思うのは当たり前か。

しかし、私とレイコは、望まない者にまで救済の押し売りをするつもりはない。

救いを与えるのは、自らそれを望み、自分で一歩を踏み出す者だけだ。

そして、ミーネが再び説得のための言葉を紡(つむ)いだ。

「ボロボロのゴミ屑みたいな状態で辿り着いた私とアラルを、深夜なのに迎え入れてくれて、食べ物をくれて、お風呂に入れてくれて、ふかふかのベッドで寝かせてくれて、そして雇ってくれたおふたりからの、『一緒に来ないか』というお誘いには……」

「勿論、喜んでついていくに決まってるでしょ！」

……何じゃ、そりゃ！

わけの分からない『魔法使い』とやらの怪しげな誘いに乗るのは躊躇ためらっても、孤児に手を差し伸べてくれた者の言葉なら、もう一度信じてみようという気になったってことかな？

まぁ、ミーネが保証するなら、という条件付きかもしれないけれど……。

「じゃあ、私達と一緒に逃げるよ。イリーは書類上は正規の雇用関係、しかも給金前払いってことになってるし、しかもその書類は偽造とかじゃなくて正式書類だから、正面から行っても駄目だからね。

……でも、それはあくまでも『この国では』、ってことに過ぎないからね。

うちの国へ来れば、その書類は犯罪者が自分の立場を利用して作ったものだと証明されていて、犯人は既に裁かれているからね。のこのことうちの国へやってきてイリーの返還要求なんかしようものなら、人身売買組織の仲間として捕らえられるから、安心だよ。

つまり、逃げ出してうちの国へ辿り着けた時点で、私達の勝ち、ってわけよ」

「おお！　……って、『犯人』って？」

ただここの商会主に騙されただけではないのか、と疑問に思うイリーに、ミーネが忌々いまいましそうな顔で告げた。

「『おじさん』よ……。あいつ、初めからそういうつもりで孤児院の引き継ぎに立候補したのよ」

「なっ……」

一瞬、ぽかんとして。そして次の瞬間、怒りに顔を歪ませたイリー。

そりゃまぁ、そうだろうなぁ。

ミーネの話では、経営者が替わってから、食事を始めとした生活レベルが落ちて、孤児達が働かされる時間も増えたらしかった。

皆は、『経営が苦しいのだろうな』と思い、そんな孤児院の経営を引き継いでくれた『おじさん』に感謝して、一生懸命頑張っていたらしいのだ。

でも、こんな話を聞かされたのでは、あれも全部、浮かせたお金を横領するためだったのではないかという疑問と怒りが湧き上がってくるのも無理はないだろう。

「まぁ、今はその話は置いておいて。

とにかく、逃げ切ってうちの国、というか、元孤児院まで行ければ、何の心配もないってことだよ！」

ミーネが言う通りだ。私からもさっき説明したけれど、逃げてしまえば、この国の中で捕まらない限り、心配ない。

何せ、商会側が持っている書類には『給金前払いでの奉公契約』となっているが、孤児院側、つまり今は領主様の手元にある書類では、『養女』ということになっているのだ。

もし他国の領主に対して正式な抗議をするとなると、当然事実確認が行われ、その時にはこの領地の領主による商会側の取り調べも行われるだろう。

引き取られた子供が養女として扱われていたか奉公人として扱われていたかなど、すぐに分かるだろう。従業員、出入りの業者、客、その他大勢の目に触れていたであろうから。

口止めするにも、罪悪感に耐えきれない者、商売敵の商店主から『その店はもう駄目だ。正直に証言すれば、うちで雇ってやる』と囁かれた者、過酷な取り調べに口を割る者等が、必ず出る。

うちの領主が何もできなかったのは、他国の商会を取り調べることができなかったからだ。証拠もなくそこの領主に抗議することも、大きな問題となるから。

しかし、向こうから喧嘩を売ってきたなら、話は別だ。

証拠を出せ、と言って、相手の領主に商会を徹底的に調べさせることができる。

……いや、そもそも、抗議する前に、ここの領主が商会主の主張が正当なものであるかどうかを徹底的に調査するだろう。

他国の貴族に抗議して、後になって『実は、自分の方が悪かった』などということになれば、面子丸潰れどころか、王宮から呼び出しが来てもおかしくないくらいの大失態だ。

また、もし本当に商会主の言い分が正しいと思ったとしても、他国の貴族との面倒事を嫌がって無視する可能性もあるだろう。

なので、商会主がここの領主を通して正式に抗議してくる確率はとても低い。

商会主の手の者が『逃げ出した養女を引き取りに来た』といってリトルシルバーに現れたら？

来ない来ない！

逃げた奉公人とかなら、従業員が迎えに来てもおかしくはない。

でも、『商会主の養女』を、商会主夫妻ではなく従業員が迎えに来るというのはおかしいだろう。

そして、従業員だろうが商会主だろうが、うちの領地に来てそんなことを言った途端、捕縛されるだろう。

うちの領地では、すでに2代目院長の悪事は暴かれ、処罰済みだ。そこへ共犯者がのこのこと現れたなら、即、捕縛だ。

他国には手出しできなくても、自領で行われた犯罪行為の犯人を自領内で捕らえたならば、その処罰は領主様の権限で行われる。犯人がどこの国の者であろうが、関係ない。

……だから、絶対来ない。

余程の馬鹿ででもなければ。

「じゃあ、夜に迎えに来るからね」

「え？」

ありゃ、今すぐ、このまま連れていってもらえると思っていたのかな？　何か、驚いたような顔をしているけれど……。

「今、連れていったら、あなたがいなくなったことがすぐにバレるでしょ。ここは、夜に姿をくらます方が時間が稼げるとは思わない？」

「た、確かに……」

頭が良いのか、初代院長からの仕込みが良かったのか、私の説明に納得して頷くイリー。

「それじゃ、このまま何もなかった振りをして働いててね。そしてみんなが寝静まった頃に迎えに来るから、自分のものを纏めておいてね。

あ、荷物が多くても大丈夫だから。自分のものは全部持っていけるからね」

アイテムボックスに入れれば、どんな大荷物でも問題ない。

「……私物なんか、着替えくらいしかないよ。片手で簡単に持てるくらい……」

そりゃそうか。こんな境遇で、修学旅行のお土産のペナントや置物、シャケを咥えた木彫りの熊とかを持っているはずがないか……。

そして勿論、家族と一緒に撮った写真が満載の、アルバムとかも……。

「で、私はどこで待っていればいいの？」

う～ん、夜中に荷物を持ってうろついていて、もし警備員や他の従業員とかに見つかったら、ヤバいよねぇ……。

「自分の部屋でいいよ」

「え……。でも、私、6人部屋だよ？　他の者が……」

「大丈夫！　私とこの子の職業は？」

「……魔法……使い……」

「そう。じゃ、そういうことで！」

そして、出番がなくて退屈そうにしていたレイコに合図して、不可視魔法を発動！

そのままそっと、ミーネの手を引いて倉庫から出て行くのであった……。

あ、入る時はイリーと一緒に横をすり抜けて入ったけど、出る時は自分達で扉を開けたから、姿は見えないものの、扉の開閉はイリーに丸見えだった。

しまらないなぁ……。

いや、扉はちゃんと閉めたけどね！

＊　　＊

「お待たせ！」

いきなり目の前で姿を現したレイコに、ビクッと身体（からだ）を震わせるイリー。

同室の5人がベッドに入って寝息を立て始めた後も、獣脂による明かりが消された暗闇の中でベッドに腰掛けたまま起きていたのである。

勿論、これから起こることを思えば眠気（ねむけ）など催（もよお）すはずがないし、ベッドに入っていると、起き出す音や振動で他の者を起こしてしまう可能性がある。

それに、寝着に着替えるわけにもいかず、仕事着のままベッドに入るのも、皆に怪しまれる。そのため、こうするしかなかったのであるが……。

現れたのは、昼間倉庫で会った時には後ろに控えていて殆ど喋らなかったレイコひとりだけであったが、イリーがそのことに疑問を抱くようなことはなかった。

当たり前である。夜中にこっそり忍び込むのに、子供を連れて大人数で来る馬鹿はいないだろう。

そしてイリーは、自分に色々と説明してくれた方の『魔法使い』はあのふたりの護衛として残っているのだろうな、と予想するだけの聡明さを備えていた。

「じゃ、一緒に……」

声をひそめることもせずに、普通の声量でそう言いかけたレイコに、慌てて両手で口を塞ぐ真似をして『静かに！』とアピールするイリーであったが……。

「あ、大丈夫よ。遮音魔法……、音や声が他の人には聞こえなくなる魔法を使ってるから」

「!!」

凄い、さすが魔法使い!!

そう叫びたいところであったが、いくら『他の者には聞こえない』とは言われても、それを文字通りに信じて大声を出すには、イリーは今までに色々と苦労をし過ぎていた……。

「行くわよ！」

こくり！

＊　　＊

「御苦労様！」

ミーネとアラル、そしてハングとバッドと一緒に待っていた街外れの空き地に、イリーを連れたレイコが戻ってきた。

軽くサムズアップするレイコの様子から、特に問題はなかった模様。

地球の大都市の繁華街じゃあるまいし、こんな夜中に、街外れのこんな場所に人目があるわけがない。

それでも、念の為に周囲に人影がないのを確認して……。

あ、せっかくだから、イリーのために魔法使いっぽい演出をしてあげるか……。

「出でよ、女神の馬車！」

ででん！

「うわあぁぁ!!」

よし、驚いてる驚いてる……。

不可視魔法だけじゃ、あんまり魔法使いらしさがないからね。ここらでひとつ、それらしいのを見せておいた方がいいだろう。大事な場面で味方が驚いて立ち竦んだりするとマズいからね。

「よし、乗車！」

（……今、女神の馬車、って言った……）

（うん、確かに『女神の馬車』って言ったね……）

「ん？　アラル、ミーネ、何か言った？」

「「いいえ、何も！」」

「そう？　じゃ、さっさと乗って！」

「「はいっ！」」

この街では、イリーの希望により、商会主の悪事を弾劾するのはやめにした。

商会には普通の従業員が大勢おり、その者達の生活に支障が出ることをイリーが望まなかったからだ。

確かにイリーを扱き使ったり苛めのようなことをする者もいたが、優しくしてくれた者も大勢いたから、ということらしい。

その人達は、イリーを普通に『親に売られた子供』と思っていたらしいが、そういう立場の者としては、多少苛められる程度のことは『ごく普通の扱い』らしい。だから、従業員のみんなには迷惑を掛けたくないんだそうだ。

……馬鹿だねぇ……。

でも、私もレイコも、そういう馬鹿は嫌いじゃない。

だけど、何もせずに逃げたのでは、商会主がイリーを連れ戻すために捜索隊を出すかもしれない。

だから、ちゃんと置き手紙を残しておいた。

養女として引き取る振りをした、違法な人身売買の容疑について。

孤児院側の者は既に捕らえられ、処罰されたこと。

隣国に一歩でも踏み入ったこの件の関係者は、即座に捕縛され、処罰されること。

孤児院側に渡された書類は、現在、領主様が持っていること。

それらを記した手紙を残しておいたのだ。

商会主の仕事机の上に載せて、風で飛ばされたりしないようにと、ナイフを思い切り突き立てて……。

さて、目指すはふたり目がいる街。

よし、出発！

＊　　＊

というわけで、やってきました、3人目がいる街。

……うん、『3人目』だ。

ふたり目のフリア（8歳）は、既に奪還済み。

うん、ま、イリーの時とあまり変わらなかったから、省略だ。

そしてこの街で、最後のひとり、リュシー（7歳）を奪還する予定。

まずは宿を取って、それからリュシーを引き取ったという商会を訪ねて、今日のところは店の外観と様子だけでも確認しておこう。

そう思っていたら……。

……何、これ？

子供達をレイコに任せて宿に残し、私ひとりで問題の商店の様子を見に来たんだけど……。

まだ閉店時間というわけでもないだろうし、こういう店は定休日なんかないはずなのに、閉められた店。そして、扉や壁には落書き、ゴミが投げつけられた跡もある……。

「ああ、そこは2日前から閉まってるよ」

「え？」

私が呆然と立ち尽くしていると、通り掛かったおじさんが立ち止まって説明してくれた。

「何でも、孤児院から養女として引き取った子供を、給金数十年分前払いで雇った奉公人ということにしてただ働きさせてたらしくてな。その子にそれを暴露した貼り紙を街中に貼られて逃げ出され、おまけに金庫に入れていなかった契約書や覚書とかを根こそぎ廃棄されちまったとかで、そりゃあもう大騒ぎさ。

勿論、貼り紙のせいで街中に噂が広まって、そうなっちゃあ領主様も腰を上げざるを得ねぇ。そうなっちゃあもう、いくら下っ端官吏に鼻薬を利かせていようが、どうにもなんねぇよ。もっと上のお方が出張ってくるだろうからな。

領主様にも面子ってぇもんがあるし、そんなのを野放しにしてるってぇ話が国王陛下のお耳にでも入りゃあ、大事だ。しかも、子供を隣国の孤児院から騙し取ったってぇことで、下手すりゃ国を跨いでの騒ぎになっちまう。

商会主や大番頭は警備隊じゃなく領主様の邸に引っ張っていかれたから、多分、終わりだな……」

「えええええっっ!!」

高級アイスクリームを食べたような感じ。

……そう、『淑女呆然』ってやつだ。

やりやがった……。ミーネと全く同じ手口だ。

孤児院の初代院長からの教えが、あまりにも完全、かつ強烈に伝わりすぎている。

……何者だよ、初代院長!!

いやいや、今重要なのは、そこじゃない！

「あ、あの、その子供は今……」

「ああ、行方不明らしい。ただなぁ……」

「ただ？」

「引っ張っていかれる前に、商会主が筋者にその子の捕縛を依頼したらしくてなぁ。生死不問、ってことで依頼したと取り調べで吐いたらしいんだよ……」

「えええええ〜〜っっ!!　……って、詳しいな、おっさん……」

「お、おっさん……」

思わずおっさん呼びしてしまい、肩を落とさせてしまった……。

でも、今はそんなことを気にしている場合じゃない！

「その噂の、信憑性は！」

そう、そこが大事だ。

「なんでそんなにムキになるんだよ……」

そう言って呆れながらも、おじさんはきちんと説明してくれた。

「……今日は非番だけど、俺、『そっち側』だからねぇ……」

警吏か、領主の手下か！

ならば、今の話はほぼ正確と見て間違いない。

守秘義務とかは大丈夫なのか、と思わないでもないけれど、多分今の話は既に公表されているか、喋っても問題ない範囲なのだろう。さすがに、秘匿(ひとく)すべき情報をぺらぺらと喋るような馬鹿には見えないし、閉まっている店の前で私が呆然としているのを見て、親切心で声を掛けてくれただけなんだろう。

この街の者で、今になってもこの状況を知らない者なんかいないだろうから、他の街から来て、店の状況を見て愕然として、固まってしまっていると思われたのだろう。

……うん、まぁ、その通りなんだけどね。

って、それどころじゃない！

肩に掛けているバッグに手を突っ込んで、……高級ブランデーと同じ味、香り、アルコール度数で、ちょっぴり身体にいいポーション、この世界でそこそこ高級っぽい瓶に入って、出ろ！

「おじさん、色々と教えてくれて、ありがとう！　これ、お礼！　うちの街で作られている高級酒だから、じっくり味わって飲んでね。じゃあ！」

わざと、少々ハイテンションで一方的にそう捲し立て、離脱！

後ろから、おい、こんなの貰うわけには、とかいう声が聞こえるけれど、無視。今は、それどころじゃない。

第五十九章　さんにんめ

宿屋に飛び込んで、取った部屋へ突入。

「緊急出撃！　宿を引き払って、すぐに立つよ、さっさと着替えて！　説明は馬車の中で。急いで！」

きょとんとしているみんなに準備を急かして、私は先に受付へ行って今から立つことを通告。

宿代の一部を払い戻す、と言われたけれど、それをチップとして厩番と折半していいから、すぐに馬の準備を整えるよう頼むと、受付の子は猛ダッシュでどこかへ走り去っていった。

……多分、厩へと向かったのだろう……。

しばらくすると、部屋着から外出用の服に着替えたみんながやってきたので、ぞろぞろと厩へ。

既にハングとバッドの準備は出来ており、そのまま乗って、厩番と受付の子からの最敬礼で見送られて、出発！

ハングに、私、ミーネ、アラル。

バッドに、レイコ、イリー、フリア。

1頭に3人ずつ。

定員オーバーである。

『ごめんね……』

『何言ってやがる。俺ら軍馬は本来、武器や鎧を着けた完全装備の男を乗せて走り回るんだぜ。装備無しの子供3人とか、空荷も同然だぜ。俺達を舐めるなよ？』

『またお前は、そんな無礼な物言いを……。しかし、バッドが言っていることは本当です。お気になさらないよう……。それに、どうせ街を出れば馬車を使われるのでしょう？』

うん、2頭とも、口調は違うけれど、いい奴だ。さすが、エドの子孫だけのことはある。

ま、その通り、街を出れば馬車を出すんだけどね。

アイテムボックスに入れてあるどの馬車も、子供だけで乗り付けるにはあまりにも不自然で、犯罪者ホイホイ過ぎる。だから、いつも街の手前で馬車はアイテムボックスに収納して、騎乗に切り替えているのだ。

……少し人数が増えすぎたから、それもちょっと不自然だけど……。

これ以上増えたら、1頭に4人乗りだよ。さすがに、それはちょっと……。

子供達だけ乗せて、私とレイコは轡（くつわ）を取って、歩いて街へ入るのはどうかな。

って、今はそれどころじゃない！

さくさくと進んで、街を出てから最初にあった空き地で停止。

周りに人の姿がないのをよく確認してから……。

「出でよ、『神の戦車（メルカバ）』！」

どんっ！

神の戦車(メルカバ)、召喚。

今回は急ぐので、重量級のパンツァーは避けた。ペネロープ号は華奢(きゃしゃ)だし、いくら子供ばかりとはいえ、ふたり乗りに6人は、ちょっと厳しい。短時間ならばともかく、長時間となると……。

なので選んだ、神の戦車(メルカバ)だ。

本当ならば、すぐに馬車を走らせて、それから車内で説明したいところだけど、それはできない。

……なぜならば、今から『どちらへ向かうか』を相談しなきゃならないから。

反対方向に走らせたのでは、却(かえ)って時間のロスになる。

なので、とにかく皆を馬車に乗せて、説明をしなきゃならない。

＊　＊

「……というわけで、急いでリュシーを捜して、雇われた連中より先に確保しなきゃならないの」

私が説明を終えると、車内に静寂が広がった。

でも、無駄にしていい時間なんかない。

私は、アイテムボックスから1枚の地図を取り出した。

日本のファンタジーゲームのおまけに付いていそうな、縮尺とかを完全に無視した、山と川と森と海と村しか描いてない、アレである。

　こういう世界では正確で精密な地図なんか軍事機密だろうから、仕方ない。

　それでも、無いよりは１００万倍マシなので、ちゃんと買っておいたのだ。

　それを、テーブルの上に広げた。

「ここから離れるルートは、３つ。この国の王都へと向かう道、西側の国へと向かう道、そして私達が住んでいる、元孤児院、現リトルシルバーがある国へと戻る道。

　そして戻る道は、森を大きく迂回して、森と岩山の間を通るようになってる。

　私達が行くべき方角は、どっちだと思う？」

　私とレイコには、リュシーがどのルートを選ぶかの判断基準が分からない。

　そりゃ、私ならどうするか、ということであれば、色々と考えた末に結論を出すだろう。でも、この世界の、全てを失った７歳の孤児がどう考えるかなんて、分かるはずがない。

　もし、それが分かるとすれば……。

「ここだ！　リュシーは、ここを通る！」

「うん。リュシーが選ぶのは、この道筋しかないよね！」

「あの子がこれ以外の進路を選ぶことは、あり得ない……」

　そして、その少女のことを最も理解しているであろう３人の少女達は、ひとつの道筋を指で示した。

　自分達が住んでいた、あの、元孤児院へと戻る道。

……そしてその指がなぞっているのは、森を迂回する街道ではなく、その深い森、野獣や魔物が出ると言われている危険な森のど真ん中を真っ直ぐに突っ切った、あまりにも無謀なルートであった……。

「ど、どうして……」

いや、孤児院に戻るルートであろうとは思っていた。ミーネと同じく、聡く決断力がある子ならば、密かに周辺地理や孤児院へ戻る道を調べていただろうし……。

皆に相談したのは、あくまでも念の為、というに過ぎなかった。リュシーが悲観主義の子であり、孤児院に売られた、とか考えて他の国を目指すような子だとか、何も考えない無謀な子で、まだ見ぬ新天地を目指しそうだとか……。

だから、元の国に戻ろうとする、というのは、最も確率が高いと思っていた選択肢なので、何も驚くことはない。

しかし、どうして7歳の少女が危険な森の縦断を選ぶのか！　碌な道すらないというのに！

「当然、あの子は孤児院へ戻ろうとする」

「街道を進めば、馬か馬車で追いかけられればすぐに追いつかれるし、簡単に見つけられる」

「ならば、道がなく、馬車も馬も通れず、見通しが悪くて危険なところを進めばいい。そうすれば見つかる確率が低くなる。そして……」

「自分を捜して捕まえることの利点より、そのために冒す危険や損失が上回るようにすればいい。そうすれば、追っ手は諦める」

せっかくだから、俺はこの赤い道を選ぶぜ、ってことか？

ぽかんと口を開いたまま、アホ面で固まっているレイコ。

……多分、私も同じような顔をしているのだろう。

そして数秒後、私とレイコの声がハモった。

「「怖いわ、お前ら!!」」

そして数分後、神の戦車（メルカバ）は街道を東へ向かって走っていた。

……常軌を逸した速度で……。

ペネロープ号ほどではないが、チタン、ジュラルミン、FRP、カーボンナノチューブを多用した神の戦車（メルカバ）は、通常の馬車に近い外見の割には、とても軽く、丈夫であった。

そして、シルバー種の中でもトップクラスの2頭が、特製ポーションを与えられて、カッ飛ばす。

野獣も魔物も盗賊も、関係ない。襲おうにも、速過ぎて追いつけないし、もし前方を塞いだとしても、魔法か、ニトログリセリンのようなものによって一瞬のうちに吹き飛ばされ、進路上から排除される。

可愛い少女を助けるためなら、『ＫＫＲ』の力は、一騎当千！

チート能力などない地球においてすら、そうであったのだ。今の私達は、鬼神ですら止められまい。

……もし、少女が可愛くなかったら？

可愛くない少女や幼女なんか、全宇宙に存在しない！

少女と幼女は、少女と幼女である、というだけで、可愛いんだよ！　外見なんか関係ない！

子猫や小鳥がみんな可愛いように、女の子は、みんな可愛いんだ。異論は認めない‼

＊　＊

「ここが、森との境界か……」

「ここから先は、この森を左側に大きく迂回するのよね。……街道は」

「そう。……街道は」

全員馬車から降りて、周囲を眺めている。

正面は森。街道は左へと曲がって森を避けるように走っている。

そして私達は、この森を突っ切る。

「少し森の中へ入って、街道から見えないところに馬車を駐める。

捜索は、私とレイコ、そしてミーネの３人で。ミーネには、リュシーに説明してもらわなきゃならないから、悪いけど付き合ってもらうよ。

他の者は、馬車で待機。障壁魔法(バリア)で馬車を中心とした半径10メートルを覆うから、ハングとバッドが草を食(は)むのの邪魔にはならないと思う。

ハング、バッド、この子達をお願いね。絶対に障壁(バリア)から外へは出さないように！
障壁(バリア)は、外敵は入れないけど、万一に備えて、中からは外へ出られるようにしておくからね」

人間の言葉と馬の言葉で同じ内容を繰り返し、そう指示したところ……。

『ハァ？　いったい、何を言ってやがる？』

『その御命令は、承服致しかねます』

バッドとハングに拒否された。

『我らは、女神の乗馬。このような重要な場面で、主を歩かせて自分達は安全な場所で待機など、とても許せるものではない！』

いや、そう言われても……。

『でも、馬は手入れもされていない深い森の中を歩くようにはできていないでしょ。荒れた地面、泥濘(ぬかるみ)、草や蔓、倒木、その他諸々……。簡単に足を取られて、骨折しちゃうでしょうが……』

『それが何か？』

『え……』

ハングが、何を言っているのか分からない、というような口調で、そう問い掛けてきた。

その時のハングの表情？　……私には、馬の表情なんか読めないよ……。

そしてバッドが……。

『鈍(にぶ)いな、嬢ちゃん。それが、俺達が嬢ちゃんと共に行くことの、何の妨(さまた)げになるのか、って聞いてんだよ！　70年以上も待ち続け、多くのシルバー種の馬達が望み、そして果たせなかった御使い様の乗馬としてのお役目を遂行するのに、足が折れようが首が折れようが、何の問題も無えだろうが……』

『我らが倒れし時は、他のシルバー種が駆け付けます。その者が倒れし時は、また次の者が。……シルバー種の、最後の一頭が倒れるまで！　それが……』

『『偉大なる始祖、エド様の望み!!』』

……馬鹿だ。

エドも。

律儀に、その言葉を守ろうとする、コイツらも。

まぁ、怪我をしても、ポーションで治せる。痛い思いはするだろうけど。

それに、置いていこうとすれば、コイツら、何をするか分からない。

絶対、障壁から出てついてくるだろう。アラルとイリー、フリアを乗せた馬車をそのまま置き去りにして……。

中に閉じ込めたら、体当たりとか、大暴れしそうだしなぁ……。

いくら障壁で覆っていても、さすがに幼い子供達だけを残していくわけにはいかないだろう。

ハング達が出た後、障壁を、外から入れないだけでなく中からも出られないようにすることは可能だけど、10歳以下の子供達3人だけで、いつ戻ってくるか、そして本当に戻ってくるかどうかも分からない私達をずっと待ち続けるのは、耐え難い恐怖だろう。

迫り来る夜の闇。遠くから聞こえる魔物の雄叫び。1日経っても、2日経っても戻らない私達。

そして、障壁（バリア）を取り囲む、凶暴な野獣や魔物の群れ。

……そりゃ、怖いだろう。

ハングとバッドがいれば、それも何とかなると思ったんだ。コイツらは実年齢の割には結構しっかりしているし、身体の大きな馬が自分達に寄り添い、守ってくれるとなれば、子供達にとっては大きな安心感が得られるだろうから。

それに、ハングとバッドを残して私達がどこかへ行ってしまう、つまり子供達が見捨てられ、置き去りにされてそのまま、ということはあり得ない、という安心感にも繋がる。

子供達は、孤児である自分達が簡単に捨てられるということは不思議にも思わないだろうけど、立派な馬2頭と馬車を置き去りにして捨てる者がいるとは思わないだろうからねぇ。

……でも、子供達を捨てるも何も、私達が森に入ろうとしている理由が、その『孤児の子供を捜すため』なんだけどなぁ。

ま、幼い子供、それも大人達に裏切られ続けた子供に、そう言っても仕方ないか……。

よし！

「作戦変更！　神の戦車（メルカバ）は収納して、全員ハングとバッドに分乗、みんなで一緒にリュシーを捜しに行くよ！　『ハング、バッド、私達を3人ずつ乗せられる？　それで森の中を進める？』」

最後の言葉は、馬の言葉で、ハングとバッドに。

『任せろ！　子供3人なんざ、武器や鎧で完全装備の兵士を乗せるのに較べりゃ、空荷同然だぜ！』

『その通り！　道無き森の中も、草原を駆けるが如く、走り抜いて見せましょう！』

『あ〜、走るのはナシで……』

バッドとハングが、威勢のいい返事をしてくれたけど、さすがに走るのはナシだ。

……というか、バッドの台詞、少し前にも聞いたことがあるような……。自慢の決め台詞、ってやつかな？

とにかく……。

「じゃ、みんな、馬車から降りて。水筒だけ身に着けてね」

うん、誰かが喉が渇く度にいちいち私が創り出すのは面倒だし、そもそもポーション作製能力は秘密だからね。

そして、神の戦車を収納して、子供達をハングとバッドに乗せて、私とレイコもそれぞれ乗って、……出発！

＊　　＊

ハングは『草原を駆けるが如く』とか言っていたけれど、勿論、ぽくぽくと普通に……、いや、普通よりかなりゆっくりと歩く2頭。

こんなところで駆け出したら、数歩目で足を取られて転倒、骨折間違いなしだ。

先行しているリュシーは7歳なのだから、これでも森を抜ける前に充分追いつけるはず。

いや、森に入らずに街道をそのまま進み、森の反対側で待つ、という方法があるのは分かってる。7歳児が森を突っ切るより、馬車で森を迂回する街道を走った方が、何倍も早い。

……でも、その手段がとれるのは、『魔物、野獣、怪我、飢え、渇き、恐怖、追っ手、その他諸々』にリュシーが打ち勝ち、無事、森を突っ切れることが分かっている場合の話だ。

追っ手のチンピラ達が森に入る確率は低いけれど、それは決してゼロじゃない。

そして、もしリュシーの安全が確約されていたとしても、やはり私達はこのルートを選ぶ。

いくら無事に森を抜けられるとしても、7歳の子供に、森の中で不安に震える夜をこれ以上過ごさせるものか！

そして勿論、現実ではリュシーが無事に森を抜けられる保証なんか、全くない。

いや、抜けられない確率の方が、遥かに高いだろう。ここは、日本の森ではなく、魔物や野獣がいる、異世界の森なのだから。

そして、リュシーがどれだけの装備を持っているか、分からない。水、食料、夜営具、傷薬、その他諸々……。

なので、一刻も早く追いつかなきゃならない。ハングとバッドが足を取られて転倒しない、ギリギリの速度で……。

ま、そういうわけで、私達にはこのルートを選ぶ以外の選択肢はなかったというわけだ。

そう、アレだ。

『せっかくだから私達は、この赤い道を選ぶぜ！』ってやつだ。

「カオル様、進路を少し左に寄せましょう！」

「え？　街道が森に行き当たったところから入って、真っ直ぐ反対側に出て街道に合流するルートを進んでるんだよ？　リュシーも時間を掛けて脱出ルートは調べたはずだから、このルートを選ぶんじゃあ……」

ミーネの意見具申に、私がそう反論したところ……。

「はい、それはそうなんですけど、もし万一追っ手が森に入った場合、追っ手も当然そう考えるでしょうから、リュシーなら、わざとルートをずらすはずです。

問題は右か左か、なんですが、右だと最短の直線路の場合より少し先のところで街道と合流、左だと手前になりますから……」

「じゃあ、距離にロスが出ないように、右にずらすんじゃあ……」

「はい、そして追っ手も当然、そう考えますよね？　それと、そもそもリュシーは自分が取り得る最短距離、最短時間で森を抜けるつもりはないと思います。そんなことをすれば、街道に出た途端、捕らえられる可能性がありますから。

おそらく、数日間森の中に潜んで、追っ手が諦めて引き揚げるのを待つはず……」

「何なんだよ、オマエラ！　どこの特殊部隊だよ!!」

ホント、何なんだよ、コイツら……。

怖いわっ！

でも、まぁ、同じ教育を受けて、何年も一緒に暮らしていた者が言うのだから、その判断は少なくとも私やレイコの判断よりは『リュシーの考えに近い』と考えるべきだろう。

それが論理的に正しい判断かどうかは別にして、『リュシーが取り得る選択肢』としては……。

「……分かった。少し左に進路を変えよう」

ハングとバッドにそう言って、少し進路を変更。

私達は、森の中で方向を失わないよう、方位磁石（コンパス）を使用している。……勿論、中にポーションが入ってるやつ。

リュシーがどうやって方位を確認するのか心配になってミーネに聞いたところ、太陽、星、木の切り株、その他いくつかの方法があるそうな……。

切り株の年輪を見る方法は、地形やら周囲の状況やらで不正確らしいけど、そういうのも加味して分析すれば、『無いよりはマシ』らしい。初代院長先生に教えてもらった、とか……。

いや、だから、何者だよ、孤児院の初代院長って‼

「止まってください！」

バッドの背に乗って、ずっと前方を凝視していたイリーが、急に大声で停止を指示した。

ハングとバッドは、人間の言葉は分からないものの、状況からおおよそのことを判断できるだけの能力は持っているため、私が指示するまでもなく、イリーの声で停止した。

「そこの木の小枝が、不自然に折れています。比較的小さな動物にしては、位置が高いです。逆に、大型の動物であれば、もっとはっきりとした跡が残るはずです。

なので、ごく最近、……ここ数日のうちに通過した、縦長の、つまり二足歩行のそう大きくない動物、……たとえば人間の子供とかが通った跡である可能性が……」

「てめーもかっっ！」

やっぱり、同じ穴の狢（むじな）、か……。


イリーが乗っているバッドを先頭にして、しばらく小枝や草に残された痕跡を追っていくと……。

「あ、こっちへ曲がってる……」

私にも分かる、草木が荒らされた跡があった。なので、そう言ったところ……。

「それは、わざと付けられたダミーです。あからさま過ぎるでしょう？　本当の進路は、こっちです。痕跡を隠した跡が僅かに残っています」

「何なんだよ、もう……」

もう、オマエラで勝手にやってくれ！　私達は、黙って付いていくから!!

「……痕跡がなくなりました。どうやら、木を伝って移動したか、木と蔦（つた）で高足歩行具（たけうま）でも作ったか……」

はいはい……。

もう、慣れてきた。

「カオル、『女神の眼』の連中も、こんな感じだったの？」

「んなワケあるかい！」

レイコの質問に、即答した。


（『女神の眼』って言った……）

（『女神の眼』って言ったね……）

「ん？　ミーネ、アラル、何か言った？」

「「いいえ、何も！」」

何か喋っていたけど、ま、内緒話くらいするか。従業員が愚痴や雇い主の悪口を言うのは当たり前だし、そういうのはガス抜きのために必要だ。

……あまり酷い悪口じゃないことを祈ろう……。

「イリー、リュシーを追いかけている者の痕跡はない？」

そう、魔獣や野獣も危険だけど、リュシーにとって最も危険なのは、人間、……追跡者だ。

魔獣や野獣は、獲物としてロックオンされるまでは、問題ない。でも、追跡者は、最初からロックオンして執拗に追いかけ、襲い掛かってくる。

「今のところ、その痕跡はありません。

複数の大人が、痕跡を残すことを気にせず森を突っ切れば、はっきりと跡が残りますから。

但し、『この地点において、リュシーの後を追った形跡がない』というだけであって、別のコースを進んでこの先でリュシーと、あるいはその移動ルートの痕跡と出会ったかどうかは分かりませんが……」

本当にコイツ、10歳かよ！

しかし、早く追いつかないと……。

「でも、多分大丈夫です」

「え？」

「普通、7歳の子供を捜しに森に入るチンピラはいません。

生死不問、ということから、雇ったのは正規のハンターじゃないでしょう。そして傭兵とかがこんな依頼を受けるはずもなし。ということは、兵士にも傭兵にもハンターにもなれないような、ただのチンピラです。

ならば、森の中での数日間に亘る捜索なんて、何のノウハウもなく装備も持っていないチンピラなんかにできるはずがないです。だから、街道を中心に捜すに決まってますよ。

それに、万一森に入ったとしても、がさがさと音をたてたり仲間同士で話しながら歩いたりすれば、リュシーの方が先に気付きます。

7歳の子供が丸まって草むらや木の陰に潜んでいれば、そうそう見つけられはしませんよ」

イリーの言葉に、こくこくと頷くミーネとフリア。

「「………………」」

言葉が出ない、私とレイコ。

そして、話が分からず、ぽかんとしているアラルに癒やされる。

そうか、この子はあの孤児院出身じゃなかった！　『こっち側』の人間だ。よしよし……。

頭を撫でてあげると、嬉しそうに笑うアラル。

うむ、かわええのう……。

ハングに乗っている順番は、前からミーネ、アラル、私の順だから、撫で放題だ。

……何か、ミーネが思い切り後ろを振り返って私とアラルをガン見しているけど……。

首と腰を痛めるよ、そんな無理な体勢をしちゃ……。

アラルのお姉さん役を奪われるかと思って、心配してるのかな？

いや、そんなことよりも、先へ進まなきゃ……。


そして、少し木々がまばらになった場所で、アイテムボックスから馬車とテントを出して夜営。

座席をリクライニングさせれば快適な寝床になるけれど、いくら子供ばかりとはいえ、リクライニングシートなので神の戦車だけで6人はちょっと厳しいから、パンツァーも出した。そして、食事と食後の団欒用の場所として、大型テントも。

勿論、テントは組み立てたままなので、そのまま出しただけ。寝る時には収納するから、排水溝を掘ったりペグを打ち込んで地面に固定したりはしない。食事と、しばしの団欒に使うだけだ。

そしてハングとバッドに、先に飼葉をやった。

エン麦(ばく)、豆類、乾草(ほしくさ)、その他諸々を混ぜたものに、回復ポーションをふりかけたやつ。デザートに、リンゴ、とうもろこし、ニンジン、角砂糖の食べ放題。

あまり甘いものを食べさせすぎると糖尿病になってしまうらしいけど、ま、私と一緒にいる間は病気の心配はないだろう。

そして、調理台と調理器具、水タンクと食材を出して、調理開始。

森の中だから、火災防止、匂いで魔物が寄って来ないように、そして万一の『追っ手の存在』に備えて、料理は火を使わず……、つまり、焼いたり煮炊きしたりはしない、簡単なもので。

既にイリーとフリアを回収してから何度も夜営をしているので、この程度のことで今更驚く者はいない。

ふたりにも、ミーネとアラルと同様に、私達のことは『魔法使い』だと教えてあるので、何も問題ない。

街から森に着くまでの街道部分で大きく時間差を詰めたし、森に入ってからも、リュシーよりはかなり速く進んでいるはずだから、うまくすれば明日にでも追いつけるかもしれない。

とにかく、7歳の女の子にこんな場所でひとりぼっちで夜を迎えさせるのは、今日で最後にしたい。それが、私達の望みであり、義務だ。

そして寝るのは、孤児院トリオの要望により、神の戦車(メルカバ)にミーネ、イリー、フリアの3人。パンツァーに、私、レイコ、アラルの3人となった。

何かバランスが悪いけど、女子会というか、孤児院仲間だけで話したいこともあるだろう。

これが、子供4人組と私達ふたり、という組分けだとへコんだだろうけど、こっちにアラルが貰えるならば、私もレイコも文句なし！

よし、いつもミーネにくっついているアラルに、日本のお伽噺をこの世界風にアレンジして聞かせてやるかな……。

＊　＊

「……というわけで、色々と不審には思っているだろうけど、カオル様とレイコ様のことは、『魔法使い』ということで。間違っても、女神様とか御使い様とか言わないように！」

こくこく！

神の戦車(メルカバ)では、ミーネがイリーとフリアに、何やら説明していた。

「『魔法使い』という仮の設定も、あくまでも私達『リトルシルバー』の従業員の間だけのものだからね。対外的には、買い取った元孤児院の建物で孤児を雇ってくれている、篤志家(とくしか)の、どこかの貴族か金持ちの道楽お嬢様、ってことで……」

こくこく！

「じゃあ、リュシーを回収したら、みんなでカオル様とレイコ様に忠誠を捧げ、そしてアラルに初代院長(おとうさん)から教わったことを全て教え込んで立派に育て、幸せを摑もう！」

「「「お～!!」」」

その頃パンツァーでは、自分の身に何が待ち受けているかを知らないアラルが、カオルとレイコに構ってもらい、きゃっきゃと楽しそうに笑い声をあげていた……。

＊　＊

翌日、アイテムボックスから出した作り置きのもので簡単に朝食を済ませ、２台の馬車を収納すると、さっさと出発した。

日が暮れて暗くなった後は移動のしようがないのでのんびりしていたが、明るくなったなら、一刻も早く出発して、一秒でも早くリュシーを見つけねばならない。

後になって、『あと10分早ければ……』とか、『あの時、のんびりとお茶なんか飲まずに、さっさと出発していれば……』とかいって一生後悔する羽目になるのは、真っ平だ。

そして、捜索というか追跡というか、とにかく昼食や休憩を挟みながら進み続け、そろそろ陽が傾き始めるかと思われた頃……。

「リュシーを呼んでみます」

「え？」

お！――…！

そろそろリュシーの存在圏が近いと思ったのか、イリーが急にそんなことを言ってきた。

まぁ、追っ手のチンピラ達が近くにいるとは思えないし、たとえいたところで、何の問題もない。今は、少しでも早くリュシーを見つけ、その身柄を確保するのが最優先事項だ。

名を叫んでも、こんな森の中ではそう遠くまでは聞こえまい。

でも、小さな子供を視認できる距離は、もっと短いだろう。

喉が嗄れても、ポーションで何とかなる。ならば、やらないよりは、やった方がいいだろう。

「あ、うん、分かった。お願い！」

子供の声の方が周波数が高いから……、って、ここにいる者は全員、大して変わらねぇよ！

……とか考えていたら……。


ピイイイイィ～～！


指笛かっ！

これなら、喉も嗄れないし、名前を呼ぶよりずっと遠くまで伝わる。

……まぁ、もし聞こえたとしても、それが役に立つのは、リュシーがこれを味方の合図だと知っていれば、の話だけどね。

「……仲間であることが分かるよう、吹き方に特別なテンポを付けています」

私の考えを察したのか、ミーネが私の耳元でそっとそう囁いてきた。

「お……、おう……」

……だから、何なんだよ、オマエラ!!

＊　＊

進みながら、時々イリーとミーネが指笛を吹く。フリアは指笛が少し苦手なのか、吹けないわけではないらしいけれど、今回はふたりに任せているらしい。

ま、リュシーの命が懸かっているとなれば、最大出力が出せる者が担当するのが当たり前だ。

日本人は、口笛を吹ける者は多くても、指笛が吹ける者は少ない。アメリカ人とかは、大抵の者が吹けるらしいのに……。

やっぱり、アレか？　アメリカは広大だから、迷子になった時とか、別行動をしている者とかに合図を送る必要があるからか？

日本でも、夜道で襲われたり、登山やキャンプで迷子になった時のために、指笛を普及させるべきだよねぇ……。

そうやって、何度か指笛を吹いていると……。

ぴいいいいいぃ～！

微(かす)かに、同じような感じの指笛が聞こえたような気がした。

「リュシーです。あの吹き方は、『健在、問題なし』という符丁(ふちょう)です。方角は向こうです、行きましょう！」

「お……、おう……」

だから、何なんだよ、コイツら!!

＊　＊

ホウッ！

ホウホウッ！


返事の指笛が聞こえた方向へと進んでいると、フクロウか何かの夜鳥の鳴き声が聞こえた。

「至近距離です」

「「………」」

そんな合図も決めてあるんかい……。

まぁ、鳥の鳴き声に偽装していれば、敵に気付かれる確率を下げることはできるか。

ガールスカウトとかで教わったのかな？

そういえば、『ガールスカウト』って、優れた才能がある女(ガール)の子を勧誘(スカウト)する、って意味かな？

それとも、女の子（ガール）を斥候・偵察要員（スカウト）に養成する、って意味かな？

……多分、全然違うんだろーなー……。


そして、時々合図で方向を修正しながら進んでいると……。

「ここよ！」

藪の中から、幼い少女の声がした。

「リュシー！」

「……イリー？」

「ミーネとフリアもいるわよ！」

「助かった……」

合図で味方……孤児院の仲間……だとは思っていただろうけど、相手が誰かということが分かり、本当に、心の底から安堵したらしき、リュシー。

そりゃまぁ、いくら気丈な子とはいえ、僅か7歳の女の子が危険な森の中でひとり、そして夜を迎えようとしていたのだから、心細くないはずがない。

そして、がさごそと藪をかき分ける音がして……。

「イリー！　ミーネ、フリア！」

だっ、と藪から飛び出してきた小さな人影が、イリーに飛び付いた。

「……お待たせ！」

「うん！　うん！　うん、うん、う……、うあああぁ……」

安心して、気が緩んだのだろう。リュシーが泣き出してしまった。

……無理もない。今まで気を張って、必死に耐えていたのだろう……。

勿論、イリーやミーネ達も泣いている。

皆、売られてから色々と苦労したのだろう……。


「で、救助の人達は？」

「え？」

泣き止んだ後のリュシーの質問に、一瞬意味が分からず、ぽかんとするイリー。

「いや、だから、大人の人達は？　イリー達は合図を送るためと、私がどう行動するかを教えるための案内役でしょ？　魔物や野獣から護るための、護衛役の大人達は？」

あ～……。

普通は、そう考えるよねぇ……。

「いないよ。私達だけ」

「え？　ええ？　えええええええ？」

横から口を挟んだミーネに、愕然とした顔のリュシー。

「そんなの、魔物や野獣に襲われた時も、追っ手に見つかった場合も、戦闘力が私ひとりの時と殆ど変わらないじゃないの！　どちらの場合も、ただ、獲物が増えて相手が喜ぶだけじゃないのよおおぉ～～!!」

……うん、リュシー、キミの考えは、よく分かる……。

って、あれ？

「リュシー、その足……」

「ああ、ちょっと挫いちゃって……。その後、少し引きずってたからか、尖った岩で擦っちゃって、すっぱりと……」

そう言うリュシーの左足は、足首を蔦でぐるぐると巻いて固定してあり、しかも血で濡れていた。

「合図では、『健在、問題なし』ってことだったんじゃないの？」

そう言った私に、リュシーが怪訝そうな顔をした。

「……イリー、この子は？」

が～ん！

7歳児に、『この子』って言われた……。

「こちらは、私を助けて雇ってくださった、事業所『リトルシルバー』の経営者、カオル様とレイコ様。そしてこの子は、私が脱出した時に一緒に連れ出した子、アラルよ。他の孤児院出身だけど、事情は私達と同じ」

イリーに代わって、ミーネが簡潔に孤児院組以外の者の紹介をしてくれた。

そして……。

「……経営者？」

うん、ま、当然そこを疑問に思うわなぁ、私のことを12歳前後だと思った場合には……。

＊　＊

「えぇええぇえ！　その歳で、加工作業場の経営者！　そして、私達の孤児院を乗っ取った？」

「誰がじゃい！　ちゃんと大金払って買い取ったわ!!」

あれからほんの少し移動して、木々の隙間、草地に腰を下ろした私達は、とりあえずリュシーに状況を説明した。

そして、私達とミーネの出会いについて話していたところ、リュシーが話の途中で突然騒ぎだしたのだ。

「す、すみません、この子、慌てん坊でそそっかしいもので……。こら、リュシー、騒ぐなら話を最後までちゃんと聞いてからにしなさい！　……それに、こんな森の奥で深夜に大声で騒げば、すぐに魔物や野獣がやってくるでしょう！」

「ひっ！」

リュシーが小さな悲鳴と共に黙り込んだのは、多分、魔物や野獣の件ではなく、そう言ったイリーとミーネの顔を見たせいだろう。

……うん、それはそれはそれは、怖い顔をしていたからね、ふたりとも……。

え、何？　私の顔の方が怖い？　うるさいわっ！

まぁ、ミーネもイリーも、助けてもらった私とレイコにはすごく感謝してるみたいだからねぇ。

それに、ミーネとアラルだけでなく、リュシー達３人を含めた、孤児５人の未来は私達に懸かっていると考えているだろうから、私とレイコの機嫌を損(そこ)ねるような言動は看過(かんか)できないのだろう。

……私とレイコは、幼い子供の考え無しな言動くらい、気にしないけどね。

「でも、このねーちゃんは、誰がどう見ても、完全に悪党面(あくとうづら)……」

「「「……………」」」

「どうして誰も否定しないんじゃ～い!!」

＊　　＊

そして説明が終わり、ようやく納得してくれたらしい、リュシー。

「それでは、末永(すえなが)く、よろしくお願いします！」

私と結婚でもする気かいっ！

というか、まだ誰も『雇ってやる』とは言っていないんだけど……、って、だからこそ、何か言われる前に既成事実化しようとしての、その発言か。さすが、しっかりしてやがる。

いや、まぁ、勿論雇う気だけどね、最初から。

……って！　馬鹿か、私！

リュシーの足の怪我、そのままじゃん！

本人が平気な顔をしていたから、つい話に集中していて忘れてた！

痛くないはずがない。かなり酷く……蔦で巻いて縛り上げておかないと歩けないくらい、そして足を引きずって歩くくらい……、おまけに、岩で切ったというのに。

見ただけで痛いほど、紫というかどす黒いというか、ヤバそうな色になって腫れ上がっているというのに。

「足を見せなさい！」

「え……」

「いいから、その左足を見せなさい！」

私が何をするかを恐れてか、それとも遠慮してか、少し引いていたリュシーに足を見せるよう強要。ミーネも私の言うとおりにするようリュシーに目で促してくれたからか、観念して、恐る恐る左足の足首を私の方に伸ばしたリュシー。

その足を、痛めた足首には触れないよう注意して、ふくらはぎの部分を下から支えるようにして保持し、じっくりと検分した。

「……合図では、『問題なし』って符丁じゃなかった？」

「これくらいなら、『問題なし』の範疇よ。死ぬような怪我じゃないし、多少移動速度が落ちるとはいえ、動けなくなるようなものじゃないし……」

馬鹿じゃなかろうか。

無理をすればますます悪化するし、後遺症が残るかもしれない。また、菌が入って、化膿したり、破傷風のような病気に罹る可能性もある。

だから……。

急いでバッグに手を突っ込んで……。

(治癒ポーション、出ろ！)

そして、創り出したポーションの瓶を摑み出した。

「はい、これをかけて！」

そう言って、バッグから出したポーションを差し出した。

念の為、２本。１本は怪我をしている部分に振りかけて、もう1本は飲ませる。既に体内に菌が回っている場合に備えて……。

飲ませるだけでも大丈夫だろうけど、外傷なのに飲み薬だけ、っていうのは、明らかにおかしいものねぇ……。

しかし、リュシーはポーションの瓶を受け取ろうとはしない。

怪しい薬を使うのは気が進まないからか。それとも、高価な薬の代金を請求されて、何年もただ働きをさせられるのではないかと警戒しているのか……。

仕方ないか。初対面の者を簡単に信じるには、この子達は、今まで苦労をし過ぎてきた。

なら、仕方ない。自分でやろう。

ポーションの瓶の蓋を開け、リュシーの左足に、そっと振りかけた。

まずは、岩で切ったところへ。そして、捻挫して腫れ上がっているところへ……。

そして、もう1本を飲ませる。半ば、無理矢理に。

「え……」

「「…………」」

ぽかん……

「あ……」

瞬時に怪我が完治したのを見て、驚きの表情のリュシー、当然のような顔のミーネとアラル、両眼を見開いて固まっているイリーとフリア、そして何やら呆れたような顔のレイコ。

「み……うぷっ！」

「め……あぐぐ！」

そして、何やら言いかけたイリーの口を手で塞ぐ、ミーネ。

同じく、ミーネを見習って、フリアの口を塞いだアラル。

み？　め？

ふたりは、何を言いかけたのだろう？

そして、ミーネとアラルは、どうしてあんなに慌ててふたりの口を塞いだのだろうか？

リュシーは、固まったまま、微動だにしないし……。

＊　＊

「今夜は、このままここで夜営します」

こくこく！

皆の了承を得て、この場所での夜営が決定。

ここは、リュシーを確保した場所のすぐ近く、少し木々がまばらになっているところだ。

そこに、いつものように馬車を出して、続いて組み立てたままのテント、調理台、水タンク、食材、椅子とテーブル、その他諸々……。

子供達を2台の馬車で寝かせ、私とレイコはテントを使うことにしよう。……絶対、子供達は積もる話で盛り上がり、なかなか寝かせてくれないだろうからねぇ。

……まぁ、それは後でいいか。

まずは、夕食の準備だ！


（……もう、隠す気ないんじゃないの？）

（う～ん……。でも、まぁ、まだ一応は『気付いていない振り』をしていなくちゃいけないんじゃないかなぁ……。物語だと、大抵はそうでしょ？『オマエ、何で気が付かないの？』って状況が続くのが、お約束でしょ？）

（あ、やっぱり？）

「アラル、ミーネ、何か言った？」

「「いいえ、何も！」」

「あれ、そう？　じゃ、夕飯を作ろうか。みんなも手伝ってね」

こくこく！

そしてなぜだか、新規メンバーの３人が、必死に頷いている……。

＊　　＊

翌朝は、朝食はアイテムボックスから出した出来合いのもので簡単に済ませて、すぐに出発。

私達が合流したからにはリュシーの安全は確保されたわけだけど、幼い子供達に森の中で何泊も夜営させるつもりはない。なので、さっさと森を抜けて反対側の街道へ出て、そのまま『リトルシルバー』目指して一直線、という予定だ。

いや、途中、街道脇で夜営したり、宿場町で宿に泊まったり、そしてミーネが働かされていた商会の様子を確認したりするから、あまり『一直線』というわけでもないけれど……。

ま、今の『リトルシルバー』は干物や燻製等、嗜好品しか扱っていないから、一週間や二週間お休みしても誰も困らない。おまけに、領主様公認だから、長期不在でも全く問題ない。

そもそも、仕入れのために数日から数週間お休みとか、この世界ではごく普通のことだ。

……まぁ、食材が近場で手に入る『リトルシルバー』には仕入れの旅とかは関係ないけどね！

そういうわけで……。

『停止！』

うおっ！

馬語でのレイコの指示で、ハングとバッドが停止した。

まぁ、ぽくぽくとゆっくり歩いていたから、乗っている者達も別に急停止で驚くようなことはない。

あ、今は、ハングにミーネ、アラル、フリア、バッドにイリーとリュシーが乗っている。

さすがに4人乗りは厳しいので、私とレイコは徒歩だ。徒歩ほ……。

ミーネ達は、自分達が歩くから私とレイコは馬で、としつこかったけど、雇用主権限で命令した。

まぁ、雇い主を歩かせて自分達が馬で、というのもアレなんだろうけど、それよりも、ひ弱なお嬢様では森歩きは無理だと思ったのだろうな。そして孤児である自分達は鍛えられているから問題ない、と……。

たしかに、普通であればそうかもしれない。

でも、私達には疲労回復ポーションがあるから、どうってことはない。草や雑木で手足に傷ができても、ポーションですぐ治るし。

ポーション、万歳！

……いや、今はそれどころじゃない。

「中型魔物4頭、急速接近中！　明らかに私達狙いよ、みんな、固まって！」

探索魔法で魔物を探知したらしいレイコの指示で、私が子供達を乗せたままのハングとバッドを寄り添わせた。そして、それを見たレイコが呪文を唱えた。

「障壁魔法！」

本当は呪文（魔法名の詠唱）なんか必要ないけれど、子供達を安心させるためと、私に『みんなが今、どういう魔法で護られているか』を教えるために、余裕がある時には魔法名を唱えることにしているのだ。

……本当の理由は、『その方が、カッコいいから』らしいけど……。

勿論、相手が人間で、こちらの手の内を晒したくない場合は、無詠唱だけどね。

こういう時には、私のポーション作製能力は今ひとつなんだよねぇ……。

いや、決して役に立たないというわけじゃない。怪我をしてもすぐに治せるから、死にさえしなければ大丈夫、というのはとてつもない安心材料だ。

……でも、敵からの奇襲や先制攻撃、自衛とかには、あまり相性が良くないんだよねぇ。

とんでもない高速で木の陰から飛び出して襲い掛かってくる魔物に対して、『ニトログリセリンのようなもの』を創り出してうまく爆発に巻き込んで、なんて、絶対に無理だ。

魔物除けの薬剤にしても、夜営の時に周囲に撒く、というような使い方ならばともかく、移動中には使い勝手が良くないし、簡単に狩れる柔らかくて旨そうな獲物を見つけた後では、多少の忌避感のある臭いがしようが、関係なく襲い掛かってくるだろうから。……今のように。

……銃器型ポーション容器？

無理無理！　多分、味方の背中を撃つか、暴発させて指を吹っ飛ばすのが関の山だ。

そもそも、至近距離で急に木の陰から飛び掛かってきた魔物や野獣に咄嗟に撃って命中させると か、どこのガンマンだよ……。

それに、銃を日常使いにするのは気が進まない。

女神の奇跡とか、御使い様の怒りとかなら、いいんだ。多少派手にやっても。

それらは、人間風情の手に余る、『絶対に手に入れることのできない力』だから。

でも、私が銃を使うのを見た者は、どう考える？

そう、『あれを手に入れれば、自分にもあの力が』、だ。

そりゃマズいだろう。

ま、私も、いざとなればそんなことは言っていられないのは分かってる。

でも、今はレイコがいてくれる。

……そういうことだ。

適材適所。互いに得意な部分でカバーし合う。

今は、それで充分だ。

「光線銃（レイガン）！」

ぴちゅん、ぴちゅん、ぴちゅん、ぴちゅん！

相手の姿が見えた瞬間、レイコが親指と人差し指を立てて拳銃を模した形にした右手の、人差し指からビームが放たれた。

レーザーなのかメーザーなのか知らないけれど、まぁ、光線銃（レイガン）と熱線銃（ヒートガン）、ブラスターとかは、SF小説ではお馴染みだ。今は軍隊で実用化レベルの……、って、レイコが死んだ頃には、もうとっくに完成して民間にも出回ってたのかも。後で聞いておこう……。

いや、よく考えたら、それ、魔法とは違うのでは……。

まぁ、『十分に発達した科学技術は、魔法と見分けがつかない』って言うからなぁ……。

霊光波動拳とかとは関係ないのだろう。……多分。

「すごい！」

「森林狼（フォレストウルフ）が、瞬殺……」

「さすが、みつか……魔法使い様!!」

「さすまほ！」

何じゃ、そりゃ……。

そして、再び前進開始。 

リュシーがひとりで静かに移動していた時と違い、大人数で騒がしく移動していたからか、それ以降も時々魔物や野獣の類いが出てきたけれど、レイコによって全て問題なく排除。

とても便利だぞ、レイコ！　一家に一台、欲しいところだ。

＊　＊

私達と合流した以上、リュシーが追っ手を避けるために森で時間を潰す必要はない。なので、ルートを少し右寄りに戻し、経路にロスが出ないように進み、森を抜けて街道に出た。

そしてその時点で既に日が落ちかけていたため、馬車に乗っての出発は翌日にすることにして、今日は街道脇で夜営することにした。旅人の夜営用に作られた空き地ではなく、ちょっと森に入ったところの、街道からは見えない木々の間で。

寝るのは、神の戦車（メルカバ）とパンツァーの両方を出して、子供達のテント代わりに。

私とレイコは、今回もテントでいいか。

まぁ、それは後でいい。別に設営作業が必要だというわけじゃないから、寝る寸前に出して用意すればいいだろう。とりあえず魔物と野獣と虫除けの薬剤を撒（ま）いて、まずは夕食の準備をしよう。

森の中ではあまり火を使いたくなかったし、匂いで魔物や野獣が寄ってくるのもあまり嬉しくはなかったから、出来合いのものやパン、生野菜や果物とかを出していた。だから、ちゃんとした料理をリュシーに食べさせるのは、これが初めてだ。よし、気合入れて作るぞ！

そしてアイテムボックスから簡易かまどと調理台、バーベキュー台その他を出して、ちゃちゃっと肉や野菜を切って焼き始めた。子供達は、嬉しそうにはしゃいでいる。

……うん、まぁ、こういうのは初めてなんだろうな。食材のレベル的にも、イベント的にも。

そして、しばらくすると、美味しそうな匂いが……。


ん？

子供達がいるのとは反対側から、何やら強い視線を感じて振り向くと……。

「うおっ！」

……何か、居た。


「……」

「「…………」」

「「「……………」」」

「レイア……」

そう、セレスの同族……但し、セレスより更にレベルが低い劣化分身体らしく、あの『通常状態の、ぽややんセレス』より、更にぽんこつだという問題児……が、じっとこちらを……、いや、バーベキュー台を凝視していた。

……あ～……。

「ハイハイ、いいよ、一緒に食べよう。……で、どうしてこんなところに？」

いや、まぁ、予想は付くけど……。

「いいの？　やったぁ！　……いえ、情報収集のためにあなた方を見張っていたのですけど、美味しそうでしたので、つい……」

最初の台詞は地が出たのか、子供らしい言葉だったけれど、すぐにいつもの気取った喋り方になったレイア。

でも、初対面の時に較べると、随分素直になった感じがするなぁ。

本当はセレスみたいにすごい年齢なんだろうけど、それは本体や上位分身体が、であって、いくらそれらの記憶や凄い能力があっても、この子が分身体として、人間並みの低レベルの思考体として生まれたのは、つい最近らしい。身体（ボディ）も、私達なんかよりはずっと優れた身体なのだろうけど、別に鋼鉄並みの強度とかじゃないだろうし……。

それに、セレスに見つかりたくないから、『謎の力』的なものはあまり使いたくないらしいし。

なので、本当であれば自分で何でもできるくせに、私に金貨をせびっているわけだ。

大損だよっ！　プンプン！

ま、だから、普通に相手をしてあげればいいだろう。変に気を遣ったりせずに。

セレスも、何か、そういうのを喜んでいたみたいだからね。

おそらく、超越者（オーバーロード）である上位存在ではない、現地の生物とコミュニケーションを取るために極端に知能と思考速度を下げたセレスやレイアのような存在は、本体がとっくになくした『そういう感情』の欠片を持っているのだろう。

だから、セレスは私のことを個人的に気に掛けてくれているのだろうし、『あのお方』とやらに対する感情のようなものも……。

それも、『原住生物とコミュニケーションを取る』という目的のために、下等生物の思考を理解するために意図して与えられたものかもしれないけれど、それも含めての『セレス』であり、『レイア』なのだから。

で、まぁ、とにかくみんなにレイアを紹介した。

いや、勿論、表向きの方の立場をね。私達のお目付役、監視役という口実で追ってきたけれど、その実、自分も親元を離れて好き放題やりたかっただけの跳ねっ返りのお嬢様、という設定の方。


（……この子も御使い様？）

（さぁ……。ただの、カオル様とレイコ様の親戚、というだけかも。そう片っ端から御使い様にはしないんじゃないかなぁ、女神様も……）

（（なるほど……））


「何か言った？」

「「「いえ、何も！」」」

気のせいか……。

ま、レイアも『外見年齢が近い子供達』と一緒に過ごすのは、いい経験になるかもしれない。もし、少しでも『下等生物』に愛着を持ってもらえれば、重畳だ。

……たとえそれが、ペットに対して抱くような感情であったとしても……。

そして私は、その場を盛り上げる為に、美味しい料理を……。

「おいおい、旨そうなモン喰ってるじゃねえか……」

また、何かキタ～～!!

……焼き始めたばかりで、まだ喰っちゃいないけどね。

いや、そんなことはどうでもいいか。

とにかく、怪しい奴らが現れた。

男達は、如何(いか)にもチンピラでございます、と言わんばかりの連中で、人数は4人。

……リュシーを捜している連中か、それとも別件か？

第六十章　敵

「ガキばっかりで、高価そうな馬が2頭だと？　親達はどこにいるんだ？

オイオイ、不用心にも程があるだろうが……」

「こんなに大勢のガキがいるんじゃあ、例のガキとは無関係っスよね……」

「チッ、ハズレかよ……」

「夜営用の空き地じゃないところで木々の間から火が見えたから、てっきり依頼のガキかと思ったのによう……」

あ〜、料理のための火が、街道から見えちゃったか……。風向きを考慮してかまどの向きを決めたから、街道の方から火が見えやすい向きになっちゃったんだな。失敗した……。

忍者漫画で、『風下に立ったが、うぬが不覚よ！』というのを、あれだけ何回も読んだというのに……。くそっ！

そして、やっぱりコイツら、リュシーの追っ手か。

でも、写真も人相書きもないから、多分コイツらはリュシーの髪の色を聞いたくらいで、あとは『ひとりで街道を歩いている、みすぼらしい恰好の7歳の少女』という程度の情報しか持っていないのだろう。

まぁ、そんな者、リュシー以外にはそうそういるはずがないからね。

とにかくそういうわけで、8人の子供達の中にたまたま同じ髪の色をした子供が交じっていても、それがリュシーだとは気付かないか。8人のうち6人が、6歳から10歳までの子供なんだから……。

ま、多分、私とレイコも12~13歳くらいだと思われているだろうけどね。

そして、そんな子供達だけで旅をしているなんてことはあり得ないから、大人達が何かの事情で一時的に離れているだけ、と考えるのが当然だ。

「……って、何なんだよ、オマエら……」

ありゃ、ここ数日、何度も耳にした……というか、私が口にした言葉だ。それが、どうしてチンピラの口から溢れたのだろうか。

「どうして、夜中にこんなところで怪しい男達に絡まれてるっていうのに、全員が平然としてるんだよ！　普通、怯えたり警戒したりするもんだろうが！

そしてお前！　どうして肉や野菜を焼く手を止めずに、普通に調理を続けているんだよっっ!!」

……あ、私？　いや、そりゃあ、チンピラ4人くらい、何の脅威にもならないからねぇ……。

レイコの障壁魔法、攻撃魔法、私の『ニトログリセリンのようなもの』、体内に毒物生成、その他諸々。

うん、視界外から高速で襲い掛かってくる相手は相性が悪いけど、動き回っていない人間相手なら、私にも簡単に対処できる。

まぁ、まだ攻撃されたわけじゃないから、何もしないけどね。

リュシーの件は、こいつらも一応は『依頼を受けて、その依頼を遂行しようとしている』というだけだから、別にこっちから先制攻撃しなきゃならないという程のことじゃない。

……いくらそれが、ギルドを通さない依頼であったとしても、だ。

もしコイツらがリュシーを捕らえて依頼者に引き渡すだけであれば、逃げ出した賃金前払いの使用人を捕らえる仕事を受けただけ、ということで、別にコイツらがその依頼を受けたこと自体は非合法ってわけじゃないし。非合法なのは、虚偽の依頼をした商人の行為だけだ。

生死を問わず、という条件にしても、別に生きたまま捕らえた少女をわざわざ殺すこともないだろうし、捕らえる時に殺さざるを得ないということもないだろう。だから、それはただ『死体を発見した場合でも、報酬は出す』という程度の条件だと解釈すれば、そんなにおかしな依頼というわけでもないだろう。

……でも、自分で言うんだ、『怪しい男達』って……。

自覚、あったんだ……。


「……なぁ、それ、俺達に喰わせろよ」

ハァ？　『俺達にも』じゃなくて、『俺達に』？　馬鹿か？

「お断り！」

「失せろ」

「下等生物めが……」

私、レイコ、レイアの、トリプルコンボ、ジェットストリームアタック。

「なっ！」

「ガキが！」

「ふざけやがって……」

いやいや、ふざけてるのはどっちだよ？

「……なぁ、依頼のガキなんかどうでもいいから、コイツらを連れていかねぇか？　ガキ8匹と上等な馬が2頭。かなりの値が付くぜ。依頼のガキ1匹なんかより、ずっといい稼ぎになるだろ？」

ありゃ、4人目が、何やら『名案を思いついた！』って様子で、そんなことを……。

「「「なる程、そりゃ名案だ！」」」

ありゃりゃ……。何か、好意的に解釈してあげれば『ただの、逃げ出した奉公人の捜索依頼を受けただけの人達』だったのに、それから、『完全な犯罪者、それも児童誘拐と人身売買という重犯』にレベルアップしそうだぞ。

……いや、レベルアップじゃなくて、レベルダウンかな？

「そうと決まりゃ、親達が戻ってくる前に、さっさと片付けるぜ。

ま、こいつらを人質にすりゃ、もし親が戻ってきても、どうしようもねぇか。子供達だけを置いて離れた、自分達の馬鹿さ加減を怨むしかねぇよな。

ハハ、こりゃ、ガキ1匹を捕まえる報酬なんかより、よっぽど稼げるぜ！

街道にいなかった以上、多分森の中に逃げ込んだんだろうけど、どうせガキひとりで何日も森の中で生きていられるはずがねぇ。今頃は、魔物に喰われて骨だけになってやがるさ。

もうあっちは諦めて、こいつらで大儲け、ってことでいいんじゃねぇか？

馬2頭、そしてこいつらを売り飛ばしゃ、当分は遊んで暮らせるぜ！」

「そりゃいいや！　げはははは！」

大人達が戻ってきても、私達を人質に、とか言っているけれど、大人達と鉢合わせにならないに越したことはないだろう。子供達が連れて行かれるのを黙って見送る親なんて、いるはずがない。

この場で抵抗、こっそり後をつける、最寄りの街で警備兵に通報、その他、取れる手段は色々とあるし。

うん、急いで仕事に掛かる、というのが普通だな……。

よし、コイツらを完全に『敵』に認定。あとは手を出してきた時点で、実行犯としてアウト、と。

既にレイコが安全措置を講じているだろうから、子供達に危険はないだろう。

さて、どう出るか……。

「とりあえずふん縛って、焼けてる肉だけさっさとかっ喰らって、急いでここから離れる、ってことでどうだ？」

「それでいこう！」

ありゃ、急いでここから離れるのを最優先にすべきなのに、その前に肉を食う、って……。

そんなに腹が減ってるのか？

あ、もう数日間リュシーを捜し続けていたなら、携帯食とかしか食べていなかったのかな。水は、どこか近場に小川か湧き水でもあれば補充できただろうけど……。

「よし、てめぇら、おとなしく……、痛っ！」

右手を突き出して私達に近付こうとして、思い切り指をぶつけた、4人のうちの主導権を握っているらしき男。

「な、何だ？　何にぶつかった？　え？　こ、ここに、何かある？」

そう、勿論、男がぶつかったのは、レイコ謹製、透明の障壁魔法だ。

「どうした？」

「何、遊んでやがる！」

他の男達も近寄ってきたが……。

「痛っ！」

「あ痛っ！」

「な、何だこりゃ！」

勿論、みんな同じ結果に。

「犯罪行為の宣言と、実力行使を確認」

レイコの、感情のない平坦な声。

「交戦規定、クリア。全攻撃力使用自由」

それに続く、同じく平坦な声での、私の台詞。

うん、向こうが一線を越えた。

これで、何の遠慮もなくやれる。

……『殺れる』じゃないよ。

『ひとりで殺れるもん！』

って、うるさいわ！


「何なんだよ、これ！」

「何か、見えないか……べ……が……」

「「…………」」

騒いでいた4人の男達は、急に黙り込んだ。

そして……。

「……し、知らねぇ。俺は関係ねぇ」

「俺もだ。ただ、エイラスに誘われて迷子の捜索に付き合っただけだ。その他のことは、何も知らねぇ！」

「お、俺もだ！　エイラスが受けた仕事の手伝いを頼まれただけで、何の事情も知らねぇ！」

「お、お前ら……」

あっさりと裏切られ、恐怖に蒼くなったり、怒りに赤くなったりと忙しい、おそらくエイラスという名であろう、最初に私達に近付こうとした男。

うん、まぁ、『見えない壁に守られた子供達』なんて、アレだ。お伽噺に出てくる、女神の加護で護られた心正しき子供達か、魔法使いの仕業かの、どちらかしか考え付かないだろう。

もし、魔法使いの方であった場合……。

魔法使いには、正義の魔法使いと、悪の魔法使いがいる。……平民の間での一般常識によると。

だが、そのどちらであっても、敵に回した場合の結果は同じなので、そこは気にする必要はない。

敵対者に訪れるのは、共に、等しく『死と破滅』である。……平民の間での一般常識によると。

そしてもし、女神の加護の方であった場合。

……ここの女神って、セレスやぞ？

アレだ、ほら、『その者、全ての希望を捨てよ』ってヤツだ。

そりゃ、全力で他の者に責任を擦り付け、撤退戦に移ろうとするわなぁ……。

そうだ、親達が戻ってくる前に逃げりゃ、何も問題はねぇじゃねぇか！　コイツらには何の力もないし、この壁から出りゃ俺達に捕まるわけだから、俺達の跡をつけるわけにも、親に知らせに行くわけにもいかねぇだろう。俺達が逃げた振りをして、コイツらが魔法の壁から出てくるのを隠れて待ち伏せしているかも、っていう可能性がある限りはな……」

「くそっ、こんな魔法をかけていたなら、子供達だけにしておいても心配ねぇはずだ……。

ありゃ、心理戦と来たか。なかなか考えるなぁ……。

でも、ざ～んね～ん！

「電撃、弱！」

びしぃっ！

コイツらのリーダー格だったらしい、エイラスとかいう男が、レイコの電撃魔法を受けて棒のように硬直したままぶっ倒れた。

まぁ、地面は土だし草も生えているから、大した怪我はするまい。

「なっ！　親だけじゃなく、コイツらも魔法使い……」

「いや、親が魔法使いなら、子供にも魔法を教えるのは当たり前だ。何の不思議もありゃしねぇ！」

「ツイてる！　女神様関連じゃなかったなんて、ツイてるぞ、俺達!!」

あ～、まぁ、確かにそれはあるかもね、一番最後の人……。

こういう時には、やはりレイコの魔法は使い勝手がいいなぁ。

私だと、手加減が難しいんだ。『ニトログリセリンのようなもの』で頭をドカン、とか、極端なんだよねぇ、威力が……。

麻酔薬とかも、心臓や呼吸まで止まっちゃいそうで、相手が盗賊とかの『死んでもいいやつ』である場合以外は、ちょっと使うのに腰が退(ひ)けちゃうよなぁ……。

コイツらは、チンピラで犯罪者ではあっても、人を殺すところまでは行ってるかどうか分かんないし。

ま、とりあえず……。

「電撃、弱！」

「「「ぎゃあああああ〜！」」」

うん、捕らえとこう。

「障壁魔法解除！」

レイコが、チンピラ達を全員倒したので障壁魔法を解いた。あとは、縛り上げて……、って、街まで素直に歩くかな、コイツら。

できれば国境を越えてから警備兵に突き出したいけど、一番近くの街まですら、……って、馬鹿か、私！　馬車を2台使えば……、って、牽く馬が2頭しかいないじゃん、馬車は全部2頭立てなのに！

くそっ……。

レイコがアイテムボックスから出した縄を受け取って、子供達が倒れているチンピラ達の方へ近寄っている。レイアも、見物のためか、一緒について行っている。

うん、私やレイコは、縄抜けされないように大人を縛る、なんてスキルは持ち合わせていない。で、子供達はと言うと、……ははは……。

初代院長は、子供達をいったいどうしたかったのか……。

「「「「あっ！」」」」

え？

チンピラ達を縛り上げるのは『その道のプロ』に任せて、バーベキューの続きを始めた私と、何かいいデザートでもないかと思ったのか、アイテムボックスの中身を確認しているレイコ。

そして子供達が上げた叫び声に振り向いた私が見たのは……。

短剣を握り締めて一直線にレイアに向かって走る、チンピラ達のリーダー格の男、エイラス。

殺さないようにと『電撃、弱』を唱えたレイコが、手加減し過ぎた？　電気には割と耐性があった？　それとも、根性で？

レイコの方をチラリと見たけれど、アイテムボックスを確認していたレイコは、反応が遅れてる。

私のポーションじゃ間に合わないし、高速で動く目標だと出現地点がうまく合わせられない。

……でも、そう慌てることはない。

おそらく、アイツは子供達の中でただひとり貴族のお嬢様のような恰好をしていて、飛び抜けた美少女、そして貧乏人にはお金や時間の問題で維持できない『腰のあたりまである綺麗な長髪』から、当然の帰結としてレイアが『魔法使いの子供であり、さっきの攻撃魔法の使用者である』と判断したのだろう。レイコが魔法名を唱えたけど、小声だったから、離れた場所にいたアイツらには聞こえていなかったか……。

なので、レイアさえ押さえれば他の子供達は無力、親の魔法使い達に対する人質としても、誘拐して売り飛ばすにしても最高の獲物である、と考えたのだろうな……。

でも、その子、アレだぞ？　セレスの同類だぞ？

セレスに見つかりたくはないだろうから女神の力は使わないだろうけど、その身体、鋼鉄製とは言わないけれど、動体視力、運動速度、筋力、その他諸々、人間のレベルを遥かに越えているんじゃないかな～。

だから、何の心配もない。レイア本人も、平然としているし。

多分、短剣を指で軽く摘まんで止めるか、一撃で仕留め……。

「退け！」

ずしゃっ！

「え……」

一瞬、何が起こったのか分からなかった。

飛び出して、短剣を持ったチンピラ、エイラスの前に立ち塞がったミーネ。

自分の進路を塞ぐ障害物を排除するため、短剣を振るってそれを斬り飛ばしたエイラス。

ああ、突き刺すと、立ち止まってミーネの身体を蹴り飛ばして短剣を抜くのに余計な時間がかかるから、横薙ぎに斬り飛ばすのが正解か、と、どうでもいいことが頭に浮かぶ。

現実感を喪失して、一瞬、呆けていたのだろう。

でも、それは一瞬のことだった。

「ミーネ！」

私が我に返って叫んだ時には、既にエイラスはレイアによって殴り倒され、地面に転がっていた。

そして……。

「どうして……」

エイラスを殴り倒したあと、呆然と立ち竦み、眼を大きく見開いて何やら呟くレイアの姿があった。

レイアにとって、これくらいのことは、何でもないはずである。

自分を傷付けることなどできるはずのない羽虫を軽く払い、そして最近会ったばかりの下等生物が傷付いた。ただ、それだけのことであり、気にするようなことではない。

そのはずなのに。

なぜか、レイアは同じ言葉を繰り返していた。

「どうして……」


「あ！」

我に返ったのか、レイアが地面に倒れているミーネに駆け寄った。

そしてしゃがみ込み、ミーネの身体に手を当てようとしたけれど、同じく駆け寄っていた私がその手を摑んで止めた。

「何をするの！　早く治さなきゃ……」

レイアのその言葉は嬉しいが、それは駄目だ。

「それは、この子の雇い主であり、この冒険の旅（クエスト）を計画した、私の役目よ。

……それに、セレスに見つかりたくないんでしょ？」

「そんなことはどうでもいい!!」

レイアは何だかムキになっているみたいだけど、既に私は駆け寄る途中でポーションを創り出し、左手に握っている。アイテムボックスから取り出すより新たに創った方が早いし、元々フタがない状態で創ったから、そのまますぐに使える。

なので、レイアのことは無視して、左手に握った瓶の中身をミーネの傷口にかけ、空き瓶をアイテムボックスに収納すると、今度は右手に出したポーションを、ミーネの頭を抱きかかえるようにして飲ませた。

とにかく、今は一刻も早くミーネの苦痛を取り除いてあげることが先決だ。

「どうしてこんな馬鹿な真似をしたの！」

私の叱責の言葉に、うっすらと眼を開けたミーネが、弱々しい声で答えた。

「わ、私達がついていながら、カオル様とレイコ様の大切な方に怪我させたなんて既成事実を作ったら、他の孤児達に申し訳が……。カオル様達には、これから、大勢の孤児達のために御活躍いただかねば……。

カ、カオル様、レイコ様……。ア、アラルや、他の孤児達を、お、お願いします……。

ああ、もう、痛みも何も感じなく……。

短い間でしたが、良い夢を見ることができました。ありがとうございました……。

では、一足お先に、女神様の許へ……」

ごちん！

「痛っ！」

私が膝の上に乗せて抱え込んでいた頭を離したから、地面に頭を打ちつけて声を上げたミーネ。

「私の本職が何だったか、思い出しなさい。魔法使いに、治癒魔法程度が使えないはずがないでしょうが！」

「え……」

うん、そういうことにしておこう。……というか、リュシーの足の怪我を治したの、見てたでしようが……。

「えええええええ‼」

自分の身体をぺたぺたと触って、斬られたはずの傷がないことに驚愕しているミーネ。

そして……。

「ああああああ！　ふ、服が！　カオル様に買っていただいた、大切な服があああああ‼」

あ〜、そりゃ、ポーションじゃ服は直らないからねぇ。

ミーネにとっては、私に買ってもらった服が、そんなに大切だったのか……。

「どうして……」

ありゃ、レイアの奴、まだソレやってたのか……。

「どうしてよっ！　あんなの、私には何ともないのに！　高々数十年で死んじゃうくせに！　その僅か数十年でさえまだ殆ど生きていない、幼生体のくせに！　どうして……」

何か、滅茶苦茶動転してるなぁ、レイアの奴……。いったい、どうしちゃったんだか。

レイアにとっては、たかがミジンコ並みの下等生物1匹の生死なんて、気にするようなことじゃないはずなのに……。

「どうしたのよ、レイア。落ち着いて！」

「……思ったの」

え？

「思ったのよ、『消滅したくない』って……」

「いや、そりゃ誰でもそう思うでしょ。当たり前じゃないの」

……まぁ、レイア達にとっちゃ、当たり前じゃないのかもしれないけどね。

「当たり前じゃない……。そりゃ、下等生物にとってはそうかもしれないけれど、私達にとっては、そういう概念はないの……。

さっきのような単純な物理事象で消滅するようなことはないし、もし何らかの事情で消滅したとしても、私は本体から分岐した、ずっと下位の分身体だから、本体には何の影響もない。

それに、私の記憶と経験は直近の分岐元に回収されて全体にフィードバックされるから、私の存在と活動が無駄になることもない。だから、消滅することには何の問題もない。

なのに……、さっき、あの男が向かってきた時。あんな金属片を突き立てられても、何ともないのが分かっているのに。そしてもしこの身体が破損したり私の存在が消滅しても、何も問題はないというのに。……一瞬、僅かに、ほんの僅かだけど、『消滅したくない』って思った……。

初めて経験した、『食べる』、『飲む』、『遊ぶ』、……そして下等生物である『宿屋の従業員』とか『泊まり客』とかいう生き物たちとの、何の価値もない無意味な情報交換（かいわ）。

それが、それが……」

あ～、『楽しかった』のかな？

びゃーーー

「なのに、どうしてあんなことを……。

まだ、ほんの僅かしか生きていないのに。簡単に消滅するくせに。消滅したら、私達とは違って全ての情報が消えてしまうのに。自分が集めた情報も、自分が存在したという意味も事実も、全てが完全に消滅しちゃうのに。ほんの数回会っただけの、無関係の私のために……」

レイアの奴、動揺し過ぎだ。そんな性能(スペック)じゃないだろうに。

それに、ヤバいことを口走り過ぎ！　多分、子供達には聞いても理解できないだろうけど……。

でも、アイツらは油断できないからなぁ……。


私達がゴチャゴチャやってるうちに、子供達はちゃんとチンピラ……もう、殺人未遂犯だから、チンピラは立派に卒業して、凶悪犯に仲間入りかな……を縛り上げていた。

で、どうしようかなぁ、コイツら……。

さすがにハングとバッドも、1頭ずつで神の戦車(メルカバ)とパンツァーを牽くのは無理だろうし、1頭でも牽けそうな小型軽量のペネロープ号じゃ、ふたり乗りだから意味がない。そもそも、残り1頭で牽ける馬車がないし。

……さすがに、今回だけのために12人乗りの馬車を新たに創るのは気が進まないなぁ。

12人のうち8人が小さくて軽い子供……私達も含めて……だけど、道が荒れていて高低差が大きいと、いくら馬車を軽くしても結構厳しそうだしなぁ……。

「レイコ、どうしよう……、って、何じゃありゃ！」

「……何よ、あれ……」

レイコにも分からないらしいけれど、無理もない。

空に浮かぶ、謎の物体。

……うん、つまりＵＦＯだ。

なぜそう断言できるか？

いや、そもそもＵＦＯっていうのが、正体が未確認の飛行物体のことだから、正体不明、空を飛んでる、って時点で、ＵＦＯだ。別に宇宙人が乗ってなきゃならないってわけじゃない。

「……で、何だと思う？　アレ……」

上空数十メートルに浮かぶ、金属製らしき球体。

……いや、もしかすると、高度は数百メートルかも。比較物のない夜空に浮かんでたんじゃあ、高度も大きさも判定できないけれど、そこそこのサイズはありそうだ。直径数十メートルくらい？

明らかに、ここの文明レベルにはそぐわない、異物。

ここは、人生経験の長いレイコ先生の意見を尊重しよう。

「可能性としては、異星人、地底人、海底人、ムー帝国人、異次元人、未来人、機械知性体、女神様の乗り物、……そしてチート能力を要求するにあたって全く自重しなかったヤツ」

呆然とした状態の私の質問に、そう言って律儀に答えてくれるレイコ。

……って、最後の、アンタやん。

セレスは、本来の任務としては次元世界の崩壊防止に関しての管理をしているだけで、その他のことは、あくまでも暇潰しのお遊びに過ぎないのだろう。時々人間達に大規模災害の警告をしてくれたり、気紛れでちょっかいを出したりするのも、全て。

なので、宇宙人が来ようが、地底人が出てこようが、あまり気にしないはず。自分の任務とは関係のない、『どうでもいいこと』だから。

そして、セレスが降臨するのに、あんな乗り物を使うはずがない。

……うん、セレスとは無関係っぽいな。

あれが今、ここに現れたということは、偶然とは思えない。

さっきのレイコが放った電撃魔法のエネルギーか波動か時空の揺らぎか、何かそういったものを感知した？

物事は、最悪の事態に備えるべきものだ。

なのでとりあえず、アレは私達に危害を加える可能性がある敵性物体として対処しよう。

但し、敵ではなかったのにこっちから攻撃して不幸な行き違いに、というのは最も避けたい事態だから、刺激しないように、しかしいきなり攻撃された場合に備えて……。

「レイコ、障壁魔法（バリア）、最大強度で展開！　ビーム系と実体弾系、両方の攻撃魔法を準備してスタンバイ。敵からの攻撃の完全反射とかはできる？　カラミティとか、殺人虹光線を巨大反射装置ではね返す『バックミラー作戦』みたいに……」

「バルゴンかッ！　……それは無理!!」

「了解（ラジャー）。じゃあ、攻撃されたら『あらゆるものを溶かす薬品』でもぶっかけるか……」

「それって、地面に落ちたらこの星の裏側まで貫通するんじゃ……」

何でも溶かす薬品あるあるネタを振る、レイコ。

そして、私の返事は勿論。

「そんなこと、あるはずないでしょ！」

「そうだよねぇ……」

「貫通するのは、『この星の中心部まで』に決まってるわよ！」

「そして、じわじわと、この星を全部溶かす……」

「「あっはっは！」」

昔懐かしい、『いつものノリ』ってやつだ。

状況が悪くなる程、軽口が増えるのが、私達。

……つまり、今は最大限に警戒し、緊張してるってことだ。

一応、こっちには隠し球として、レイアがいる。

でも、セレスと違ってレイアには私達を助ける理由がない。私達が死ぬのを、何とも思わずにただ無表情で眺めているだけ、という可能性は充分に……、あ、私達には『金貨の供給源』という価値があった！

まぁ、レイアが私達に直接関与するつもりがあるかないかは分からないし、ちょっと今はおかしな状態になっているのが気掛かりだけど。

よぉし、来るなら来い！　ＵＦＯ撃退の、準備はできた‼

第六十一章　旧　友

「……動いた！」

球形のＵＦＯの下部から、数本の突起が伸び出た。

インドラの矢か何かか？　今頃、あの中では『エネルギー充填１２０パーセント！』とか、『対ショック、対閃光防御！』とか言ってんのか？

初手からいきなりスペシウム光線かよっ！

「レイコ、障壁ありったけ重ね掛け！　インフラ・ラジウムとウルトラゴールドの壁形ポーション容器、出ろ！」


……

…………

………………

『お久～！』

ＵＦＯに付いているらしい拡声器のようなものから、そんな声が聞こえた。

……がっくし。

最後のヤツかよっ！

うん、そうだ。レイコの可能性予測の、一番最後のヤツ。

『……そしてチート能力を要求するにあたって、全く自重しなかったヤツ』だよっ！

「恭子、遅いよ～！」

レイコのヤツが、暢気にそんなことを……、って、ま、マズい！　子供達が全部見てる!!

「レイコ、恭ちゃんとの会話は、日本語で！」

子供達には、あとで適当な説明を考えよう。

重力を無視してゆっくりと降下してくる『丸いの』。その下面から突き出したのは、攻撃用の武器ではなく、着陸脚らしい。

ま、今は全ての重量を脚部で支えるのではなく、反重力装置か何かで重量の大部分を相殺しておくのだろうけど……。

でないと、ここの地面ではあんな小さな底部面積の脚では重量を支えきれず、脚が地面にめり込んで大きく傾いたり、場合によってはころりんと転がって、面倒なことになりそうな気がする。

……絶対、地面に着陸するには不向きな形状だよねぇ、球形って……。

『丸いの』のサイズは、直径数十メートルくらいだ。

地球の船なら、全長３００メートル以上の豪華客船とか、全長４００メートル以上のコンテナ船とかタンカー等の、もっと遥かに大きい船がたくさん存在するけれど、直径数十メートルの球形というのは、決してそう小さな方じゃない。……特に、積み荷や乗客を運ぶためのスペースが主体である船ではなく、自艦の機能のみにその体積を割り当てている船としては。

それに球形は、普通の艦船の形状に較べて、見た目より遥かに大きな体積を持っている。

……ま、それも些細なことだ。それに乗ってきたヤツの存在に較べれば……。

うん、さっき聞こえた声とその抑揚(よくよう)は、言わずと知れた、我ら『ＫＫＲ』の最後のひとり、西園(にしぞの)恭子(きょうこ)、恭ちゃんだ。

ＫＫＲの中の、一般人枠担当。

……と本人は思っているらしいけれど、それは、『この3人の中では、比較的普通の人寄りの発言をする』という意味にしか過ぎない。

そして、私とレイコが色々としでかさざるを得なくなるのは、大抵は恭ちゃんが『揉め事を引っ張ってくる』のが原因だ。

『一般人』ならぬ、一般から逸脱(いつだつ)した女、『逸般人(いっぱんじん)』だ。

うん、恭ちゃんはやはり、私達の仲間として、『居るべくして居る』人材なんだよなぁ……。


あ、丸いのの降下が止まった。

……うん、あんなのが降りられるだけのスペースがないわ、ここ。

上空にいる時は分からなかったけど、下りてきたのをよく見ると、結構デカいわ、これ。直径60メートルくらいはあるかなぁ。

……どうしてこんなデカいのに乗ってきたのか。もっと小さいのはなかったのか。

いや、それ以前に、これは何なのか……。

上空10メートルくらいで停止した丸いのの下部から、何やら着陸脚じゃないのが伸びてきた。

……ああ、乗降用のチューブかな？

そしてそれが地上に到達し、シュン、とスライド状に前面が開いて……。

「香！　礼子！　……の、中学生バージョン!!　……私もだけど！」

「恭ちゃん！」

「恭子……」

ぎゅっと抱き付いてきた恭ちゃんと、それに応える私とレイコ。

恭ちゃんにとっては、私は何十年も前に……私にとっては、5年くらいだけど……別れた、超久し振りに会う親友だもんねぇ。

そして、これで『ＫＫＲ』がその真の力を発揮する。

……うん、私達は、３人揃ってこそ、だものね！

（女神様だ……）

（お星様に乗って地上に降りてくるなんて、もう、隠そうとか誤魔化そうとかいう気、欠片もないよね？）

（それでも、まだ『魔法使い』っていう設定を守らなきゃならないの？）

（う～ん……）


「え？　何か言った？」

「「「いいえ、何も！」」」

気のせいか……。

とにかく、恭ちゃんとの再会を祝して……。

「恭ちゃん、アレで私達と殺人未遂犯を街まで運んでくれない？」

うん、立ってる者は、クララでも使え。世界迷作劇場の、有名な格言だ。

他に、『死ぬなら、犬も道連れに！』とかいうのもある。

ためになるなぁ……。

「それは、ためになったんじゃなくて、だめになったのよ！」

レイコから突っ込みが入った。

ありゃ、口に出てたか……。

とにかく、子供達の眼と耳がある今は、いくら日本語を使うとはいえ、積もる話をするには色々と都合が悪い。

「今からじゃ、警備隊も領主様のところもみんな寝静まっていて、夜勤番の人が責任者を呼び出す、とかいうのも気の毒だよねぇ……。

よし、今日はこのままここで夜営して、明日の朝イチで移動しよう。……夜明け前の、まだ暗いうちにね。

旅人にこれを見られるのも、明るくなってから街の近くでこれから降りるのも、マズいでしょ」

空に浮かんだやつを指差しながらの私の提案に、こくこくと頷くしかない、恭ちゃんとレイコ。

ま、そりゃそうだよね。

殺人未遂犯達は、縛り上げてはあるけれど、念の為に『ぐっすりと眠れるポーション』で、起こされるまで熟睡。不自然な体勢で、何も敷かずに地面に転がって寝てるから、明日の朝には身体中がバキバキだろうけど、死ぬことに較べれば、それくらい大したことはないよね。


そしてバーベキューを再開して、みんなでお食事。

その後は、子供達を神の戦車(メルカバ)とパンツァーに分けて眠らせ……どうせ、しばらくは眠れずに、どちらかの馬車に集まって互いの今までのことを話し続けるだろうけど……、私達3人はテントでお話。

恭ちゃんが、搭載艇の方が居心地がいいよ、と言って上を指差したけれど、あんなのに乗っていたら、子供達に何かあった時に気付くのが遅れる可能性がある。だから、馬車の隣に張ったテントにいる方が、余程安心できる。

……そして、『搭載艇』かいっ！　あのサイズで……。

＊　　＊

「……で、あれは何よ？」

そう言って、上を指差すレイコ。

その先にはテントの天井部しかないが、勿論、レイコが聞きたいのはテントの天井部についての解説じゃないだろう。

「搭載艇だけど？」

そして、シンプルな恭ちゃんの答え。

「……搭載艇、っていうことは、勿論、母艦がいるんだよね？」

「勿論！」

「「…………」」

そして、私とレイコの声がハモった。

「「どんなチート能力を貰ったああァ!!」」

聞いたところでは、恭ちゃんもレイコと同じく、歳を取ってからの記憶や経験はそのままではあるものの、それらはやや『客観的に俯瞰（ふかん）するような感じ』であり、神様が記憶を呼び起こして強化してくれたらしい『22歳までの記憶』が今の状態に大きく影響しているそうな……。

なので、老人になるまで生きた人生の続き、というよりは、私が地球で死んだあの時、22歳の時点で分岐した、別の人生、というような感じらしい。

……ここで70年チョイ経った時点で、ふたつの人生を統合するのかなぁ。

それに、肉体の影響が大きいのか、今は本当に昔のあの頃みたいな感じらしい。

そりゃまぁ、いくら知識と経験を積み重ねていても、筐体（からだ）とCPU（ずのう）がガタガタじゃあ、どうにもならないもんね。

そう、だからリフレッシュした魂と意識体が若い頃の身体に入ったら……。

「だから、この新しい命で、新しい世界に生きてゆく！」

「あんたもかいっ！」

うん、同じような本を読み、同じようなアニメを観ていたのだ、私達は……。

「ところで、香たちは今、この大陸中を旅して廻っているの？」

恭ちゃんが、急にそんなことを聞いてきた。

「ん？　いや、一応はある程度定住しようかと思って準備しているんだけど……。

まぁ、大陸を横断したばかりだし、今回は隣国への旅からの帰還中だから、広い視点から見れば、そう言えなくもないかなぁ。

「……で、どうしてそんなことを？」

私がそう尋ねると……。

「いや、神様が、香ちゃんは仲間達と一緒に大陸中を旅して廻ってる、とか言ってたから……」

「「あ～……」」

あの連中の時間感覚は、私達とは全然違う。だから、神様から見れば、私達は大陸を横断したあと、すぐにまた旅に出たように見えるのだろう。

いや、あの地球の神様は人間の感覚や常識には詳しいかもしれないな。多分、セレスからの又聞きだからだ。セレスからの情報が歪んでいるから、地球の神様が間違った受け取り方をしても、それは仕方のないことだ。

……うん、全部、セレスのせいだな。納得。

「……で、恭子はいったいどんな能力を貰ったのよ？」

あ、話がなかなか進まないからか、レイコが遂にその話を切り出した。

うん、問題は、そこだ。あの、『頭上の脅威（うえにうかんだの）』は、絶対にそれのせいだよなぁ……。

そして、それに対する恭ちゃんの答えは……。

「あ、『私が知っている船を創造する力』だよ。詳細はその船について書かれた書物のとおりに造られて、その船の使い方についての知識も自動的に取得、ってことで」

「「…………」」

納得した。

私とレイコに与えたチート能力がちょっとマズかったかも、と思っていたであろうセレスも、それくらいなら、と了承しただろう。

……そしてその結果が、上に浮かんでいる、アレってわけだ。

「架空の船もアリかいっ！」

思わず叫んだ私に、恭ちゃんがにやりと笑って答えてくれた。

「いやぁ、神様と見分けが付かないくらいに進化した種族にとっちゃあ、帆船だろうが豪華客船だろうがＳＦ小説に出てくる宇宙船だろうが、みんな同じ。大して変わらないわよ。

私達にとっての、丸木舟とイカダくらいの違いでしかないだろうから、問題ないない！」

……そうだった。恭ちゃんは、こういうヤツだったよ……。

「無茶苦茶だ……」

天を仰いでそんなことを言うレイコだけど、そこで恭ちゃんが困ったような顔をした。

「……でもね、ちょっと問題があるのよ、この能力……」

「え？　創造する船に制限があるとか？」

「無茶をすると、ペナルティとして何らかの副作用が、とか？」

口々にそう質問するレイコと私に、恭ちゃんは残念そうな顔で告げた。

「船は完全装備で出せるんだけど、……乗員がいないのよ……」

「「はあああぁ？」」

その、あまりの内容に、思わず大きな声を漏らした私とレイコ。

「だから、船は出せて、私の頭にその操作法が流れ込んでくるんだけど、そこに乗員は乗っていないワケよ。だから、ひとりで動かせる船しか使えない、ってこと。おまけに、人間を含む生物全ては勿論、人間とほぼ変わらない知性を持ったアンドロイドやメインコンピュータ、っていうのも駄目だって。

何でも、そこまで進んだAIは女神様達にとっては生物と同等の扱いであり、勝手に弄ぶことは禁止、だってさ。

あ、私達がそれらをどうこうするのは別に構わないらしいんだけど、女神様がそれらを創って私に奴隷として提供したりするのは、あの種族の倫理的に駄目なんだとか……。

原住生物を大量に殺すのは気にしないくせに、よく分かんない連中……」

慌てて、恭ちゃんの口を塞いだ。

セレスの奴、たまに覗いてやがるからなぁ……。

「ま、そういうわけで、人格付与コンピュータとかいっても、言われたことをやってくれるだけで、自分で考えたり、アドバイスしてくれたり、友達のように話せるようなAIじゃないのよねぇ。自動操縦とかは問題ないんだけど……」

なるほど、ロボット船はいいけれど、チャイカやパオロン、ソードブレイカーやリプリム号とかは駄目だというわけか……。

SF小説に出てくる宇宙戦闘艦の大半は、なぜかかなり科学が進歩していても大勢の乗員が必要なんだよなぁ。

操艦も武器管制も、細かいところは自動化して、全部艦橋でひとりで操作できるようにできそうなもんだけどなぁ。攻撃とかは、大まかなことだけＡＩに指示して。別に、全ての砲を自分で目視照準で撃たなきゃならないわけでもないだろうに……。機械知性体の反乱防止策、とかかなぁ。

それに、帆船や蒸気機関の船を出しても、船員がいないんじゃ、どうしようもないだろう。

どうしてそんな不便な能力になってしまったのか。

多分、それは……。

「セレスだからねぇ……」

うん、そういうことだ。

おそらく、言葉尻を捉えての嫌がらせ、なんてつもりは更々なかったに違いない。セレスは、そんな奴じゃない。

ただ単に、気付かなかっただけ。言われた通りの能力を付与しただけ。

……多分、恭ちゃんに神様並みの創造力が与えられたというわけではなく、恭ちゃんが船を造ろうとすればその都度、それを感知した『何か』が注文通りのものを造ってお届けするのだろう。

一瞬の内に船を造るとか、どんだけ……。

もしかすると、時間の進行速度が地球やこの世界に較べて数百万倍の速さの世界でゆっくり造って、完成したらこの世界へお届け、とかかな。

……とにかく、そういうわけで……。

「使えるんだか使えないんだか分からない、微妙な能力だ……」

レイコの言葉に、がっくりと項垂れる、恭ちゃんと私であった……。

＊　＊

そして、積もる話で寝るのが遅くなった私達は、寝惚け眼で朝食の用意をし、子供達を起こした。

日の出までにはかなり時間があり、辺りはまだ暗い。

おそらく恭ちゃんの船だと移動はあっという間だろうから、手早く食事をしてからすぐに出発すれば、明るくなる前にリトルシルバーに到着できるだろう。そしてその後、殺人未遂犯達を領主様に引き渡せばいい。今回のことを私達に都合良く説明して。

捕らえたのは他国でだけど、被害者は自領の住民だし、『どこで捕らえたか』なんて、誰も気にしないだろう。

連中のところの領主だって、数人の犯罪者のために他国の領主と揉め事を起こしたいとは思わないだろう。大事になって互いの国の王宮にまで話が上がった場合、自領の商人による大罪と、口封じのために被害者である子供達に刺客を放ったということが露見したら、自分の立場が悪くなることくらいは分かっているだろうからね、馬鹿でない限り。

うん、何も問題はない。

レイアは、昨晩、いつの間にか姿を消していた。

朝食には大した料理が出ないと思って、また遠くから時々観察する、ってパターンに戻ったのかな。

昨晩出てきたのは、本当は料理目当てというより、みんなとわいわい食べる雰囲気に引き寄せられたのかもね。

そして、朝食後はすぐに撤収。アイテムボックスに入れるだけなので、一瞬だ。洗い物とかは、あとでやる。

眼をキラキラさせていたりビクビクしていたりと様々な反応をしている子供達と、女神に地獄へ連れて行かれると思い恐慌に陥った殺人未遂犯達を順に乗降用のチューブに押し込んで、乗船。

馬車やテントはアイテムボックスに入れたけれど、ハングとバッドはそのまま乗船させた。

……乗降用チューブ、太さを変えられるんだ……。

ま、それくらいは簡単か。何せ、星間帝国の技術力なのだろうからねぇ……。

「よし、発進！」

「あああ、それ、私の決め台詞うぅ！」

恭ちゃんが膨れているけど……。

いいじゃん、少しは私にも楽しませてよ！

書き下ろし　子供達

「とうっ！」

びしぃっ！

「あうっ！」

20代前半くらいの女性に木剣で打ち据えられ、がくりと膝をついた12～13歳くらいの少女。

悔しそうな顔をしているが、明らかに実力が違いすぎるので、結果を甘んじて受け入れるしかなかった。

「まだまだですね。これでは、とてもあなたの要望を受け入れることはできません。精進しなさい」

「はい……」

少女はがっくりと肩を落とし、訓練場の隅へと移動して場所を空けた。

「次！」

「はいっ！」

そして、次は14～15歳くらいの少年が、木剣を手に、中央へと進み出た。

「あなたの要望は、『お小遣いの増額』でしたね。では、私は左手だけで、小指は立てた状態で木剣を握り、両足は一歩も動かさない、という条件で相手をしましょう。私の身体に少しでも木剣を触れさせるか、一歩でも足を動かさせれば、あなたの勝ちとします。それでいいですか？」

「おうっ！」

そして、激しい攻防が始まった。

女性がいくら強くても、左手のみというのはともかく、小指を立てていてはまともに柄を握る力が込められず、しかも両足を動かさないということは、後ろから攻撃されれば防ぎようがない、

……はずであった。しかし……。

どごん！

「お小遣いは現状維持！　次!!」

胴に強烈な一撃を受けた少年は、数メートル吹き飛ばされて、そのまま訓練場の隅へと転がっていった。

もう女神のポーションは無いのですから、と、稽古なのに重傷者を出しかねない様子に苦言を呈する側仕え（そばづか）の者達に、これくらいで使い物にならなくなるような者は不要、と言い捨て、子供達への指導を続ける女性。

（脳筋め……）

そして、苦々しそうな顔で、心の中で毒づく側仕え達。

……別に、彼らはその女性に対して隔意があるわけではない。

それどころか、心から敬愛し、その身を護るためであれば、躊躇なく自らの命を差し出し、その盾となるであろう。

しかし、その女性はこの国の言葉ではなく、『肉体言語』とかいう、よく分からないものによってコミュニケーションを図ろうとすることが多かった。

いや、別におかしなことや馬鹿なことを言うわけではない。常に公正であり、自らの利益ではなく民のことを考えた言動を心掛けており、貴族や王族として、そしてひとりの騎士として、立派な人物であった。

……脳筋でさえなければ……。


決して、馬鹿だというわけではない。

人並みの知恵と知識は充分に備えている。

……ただ。

ただ、それが全く目立たなくなるくらいの、あまりにも強靱な筋力がある。

それだけのことであった……。

そして、側仕えの者達が苦言を呈したり心の中で毒づいたりするのも、無理はなかった。

何しろ、大怪我をしそうな訓練をさせられているのは、兵士や見習い騎士などではなく、御主人様のお子様方なのである。

そして、無茶な稽古を強行している張本人であるこの女性の、息子達、娘達でもある。

……そう、救国の大英雄にして大陸の守護神、絶対英雄『鬼神フラン』の……。

＊　＊

「フラン、側仕えの者達から苦情が来ているぞ。子供達への稽古は、もう少し安全に配慮していただかねば、と……」

「何を甘っちょろいことを！　そんなことでは、次にカオル様が御降臨なされた時、誰がお護りすると言うのですかッ！」

ロランドの言葉に、声を荒らげて言い返すフランセット。

そう、普段はロランドを立て、比較的温厚で従順なフランセットであるが、どうしても譲れない時には、絶対に退かないのであった。……特に、子供達の教育と、カオルに関することには。

「いや、しかし、うちの子達はみんな、もう充分に強いよな？　一番下のリリスですら、この前の訓練で警備隊長に勝ったよな？　あの後、警備隊長が落ち込んで『辞職する』って言い出して、大変だったんだからな……」

……リリスは、まだ11歳の少女である。

どうやら、カオルが自重というものを覚える前に作った初期のトンデモポーションにより若返りと肉体強化を行った……行わさせられた……フランセットは、遺伝子レベルでの改変を受けたようであり、そのごく一部ではあるが、トンデモ能力を少しばかり子供達に伝えてしまったようであった。

（……いや、ごく普通の子供達なのに、ハイハイを始めた頃からの常軌を逸したフランの特訓のせいで、こうなってしまったという可能性も……。

すまん！　すまん、子供達よ！　……特に、娘達!!）

ロランドも止めようとはしたが、力及ばず、ということであったらしい。


「とにかく、子供達には私の持つ全ての技を伝えます！」

「え？　それって、敵の斬撃を指で挟（はさ）んで止めるとか、大きな石を投げて敵の大型弩砲（バリスタ）や投石機（カタパルト）を破壊するとかいうのも含めてか？」

「当然ですが？」

「…………」

そんなことができるのはお前だけだ……少なくとも、人間の中では……、と思いながらも、それを口にすることができないロランド。『子供達の教育』と『カオル様のため』という、フランセットの2大『絶対に譲らないこと』が重なっているのだから、何を言っても無駄である。

下手に反論すれば、朝まで続くお説教と、その後1週間くらい口を利いてもらえなくなる。それだけは絶対に避けたい、ロランドであった。

（すまん、子供達よ……。本っ当に、すまん!!）

＊　＊

「……で、お前の息子は、うちの娘達に模擬戦で勝てそうか？」

「無茶言わんでください！　無理！　絶対に無理ですよっっ!!」

ロランドに無茶振りされて、ぶんぶんと首を横に振る、ロランドの弟である、国王セルジュ。

「じゃあ、兄さん、フランセットに勝てるんですか？」

「うっ……」

幸いにも、フランセットは初めて出会う前に、既にロランドに尊敬と憧憬（しょうけい）の念を抱いていた。

しかも、当時は王兄殿下と一介の騎士であったため、フランセットにとってロランドは、まさに現代日本の一般人にとってのアイドルタレントと皇族を合わせたかのような存在に等しかった。

それで相思相愛となれば、結ばれないはずがなかった。

しかし、今のセルジュの息子とロランドの娘は、王太子殿下と公爵家令嬢であり、確かに身分的には釣り合っているが、それは言い方を変えれば『娘の方もトップクラスの身分であり、別に王太子に対して闇雲な尊敬と憧れを抱くようなことはない』ということであった。

王妃殿下などという、制約が多く多忙で、滅私奉公の代名詞のような立場にはなりたくない、という貴族家令嬢は、決してそう少なくはない。なぜか25年くらい前に隣国から急に広まった思想なのであるが……。

貴族や王族の婚姻など、親が命じれば済むことである。

しかし、共に伴侶を自分で決めた『恋愛結婚』であるロランドとセルジュは、さすがに自分の子供達に親の命令で結婚させることは気が引けた。そのため、自然に恋愛感情を抱かせようと、それとなく出会いの場を作ったりしていたのであるが……。


『私、自分より愚かであったり弱い殿方には興味ありません』


女性が結婚相手の男性に対して出す条件としては、それは至極当然のものであった。

そしてその条件をクリアできる男性は、大勢いるはずであった。

……それが、フランセットの娘でさえなかったら……。


「じゃあ、どうするんだよ！」

「どうするんだ、と言われても……」

ロランドにそう返すしかないセルジュであるが、そもそも、どうしても自分の長男とロランドの娘を結婚させたいと言い張っているのは、セルジュである。だから、これはセルジュが何とかするべき問題なのであるが……。

「このままじゃ、兄さんの娘達は全員、一生結婚できませんよ？　いいんですか、それで？」

「うっ！」

痛いところを突かれた。

確かに、そんな条件をクリアできるような若い男が、そうそういるとは思えない。

剣の達人とかはいるだろうが、そういうのは大抵、中年か初老であるし、既に妻子持ちであろう。

「まずい……」

「まずいですよね……」

「「どうしよう…………」」

＊　　＊

「なぁ、お前達。自分より弱い男と結婚して、護ってやる、というのも面白い生き方だとは思わないか？」

ある日、ふたりの娘達に何やら啓蒙活動を始めたロランド。

「いいえ、全く思いませんが？」

「お母様とお父様のことですか？」

「う、うるさいわっ！」

「なぁ、お前達。貴族や王族の男性の価値は、腕力ではなく知力や施政能力で決まるとは思わないか？」

「いいえ、全く思いませんが？」

「御自分の擁護ですか？」

「う、うるさいわっ！」

「なぁ、お前達。王太子殿下は、なかなか立派なお方だと思わないか？」

「いいえ、全く思いませんが？」

「女性である私達より弱い、へなちょこですわね。

あ、もしかして、政略結婚か何かをお考えですか？　御自分は平民上がりの女性騎士を見初めて、子爵、侯爵と陞爵させて結婚しておきながら……。

まさか、『妻に勝てない仲間』を増やして、愚痴を溢す相手を作ろうと……」

「う、うるさいわっっ‼」

ロランドの……というか、正しくはセルジュの……望みが叶う日は、まだまだ遠そうであった。

＊　＊

「……しかし、フランはいつまでも若いよなぁ……」

自室で、そんな独り言を溢すロランド。

フランセットは、27歳の時にポーションによって16歳の身体に若返ったため、現在生活年齢は52歳、肉体年齢は41歳である。

だが、その見た目は、20代前半くらいにしか見えなかった。

成長……というか、老化というか……していないわけではないが、明らかに普通の人に較べて若々しい。肌のツヤや張りも……。

既に50代となった自分に較べ、若々しい妻の姿に、思わず笑みが溢れる。

自分にも若さがあれば、と思わないでもないが、それは贅沢というもの。

いつまでも若く、強く、美しい妻が、そして可愛い子供達がいれば、それ以上望むものは何もない。

子供達は皆、年齢に比してかなり小柄であったため、最初は成長が遅いのではないかと少し心配していたが、今はもう何も心配していない。

あれは、『成長が遅い』のではなく、『老化が遅い』のだということが分かってきたからである。

長命で、優れた身体能力を持つフランセットの血と、王族であるロランドの血を継いだ子供達。

その血を是非自分の家系に取り入れたいと考える者は多かった。国内にも、国外にも。

そしてその価値の大半は、ロランドではなくフランセットの方にある。

何しろ、自国を救っただけでなく、大陸中の生きとし生けるもの全てを救ったという、空前絶後の大英雄なのである。

あの女神セレスティーヌがその諫言に頭(こうべ)を垂(た)れて従ったという、詐欺師や吟遊詩人(ぎんゆうしじん)ですら吹き出すようなことを。そして人類史に鉈(なた)で彫り込まれて未来永劫(みらいえいごう)残り続ける大偉業をやってのけた、現(あら)人神(ひとがみ)。セレスティーヌに対抗できる、人類唯一の切り札。

もはや、『女神の御寵愛』どころの話ではない。

女神そのもの。

セレスティーヌの魔の手から人類を護る、世界の希望!!

……と、何だかよく分からないことになってしまったフランセットであるが、とにかく、その血を求めるものがどれだけいるかなど、考えるだけ無駄であった。

しかし、弟のセルジュだけは、フランセットではなく、ロランドの血を求めて、子供同士の婚姻を求めている。

自分のせいで王となるべき道を断たれ、そして女神のポーションによって怪我が治った後も、国王の座を自分に譲ってくれた、聡明(そうめい)で自分などより遥かに国王としてふさわしかった兄。

その兄の血筋を、王家の本流として残す。

それが、セルジュの唯一の望みであった。

そしてその想いを理解できるため、敢えてそれに反対しようとはしないロランド。

……但し、娘の意思に反してそれを強要したり、娘を不幸にする奴は、許さない。……絶対に。

だが、そのような心配が全くないことくらい、ロランドにも充分分かっていた。

何しろ、母親がフラン(あれ)なのである。

……鬼神、フラン。

怒らせると、……せかいがはめつする。

そんなことをしでかす勇者は、絶対に存在しない。世界征服を企む魔王ですら裸足で逃げ出す、あの、『鬼神フラン』なのであるから……。


「まぁ、なるようになる、か……。少なくとも、フランの意向には逆らわないよう、気を付けよう……」


フランセットが、娘と王太子殿下との婚姻そのものには反対していないのが、救いであった。

それが、娘の幸せを思ってか、それとも『王家の中枢部に手の者を送り込んでおけば、カオル様が御降臨された時に国の総力を挙げてお護りすることができるから』なのかは、定かではなかった。

そんなことをしなくとも、今のフランセットであれば、一国の王よりも大きな影響力を行使できるというのに……。

しかし、自分が死んだ後のことを考えるなら、孤児達が立ち上げた宗教、『女神カオル真教』の教えを叩き込んだ手の者を国母として送り込み、王家に代々伝えさせるというのは良い手かもしれなかった。

あまり策略とかは使わないフランセットであるが、カオルのこととなると、かなりの悪だくみも平気で行う。典型的な、『正義のためならば、どんな悪事も許される』と考えるタイプであった。

心優しき弟王が治め、聡明な王兄殿下がそれを支え、そして『鬼神』が睨みを利かせている国。

聖女カオルが住んでいた、そしてその養い子達、『女神の祝福を受けし子供達、ナガセの子』が経営している、規模は小さいが国際的に大きな位置を占める商会、『女神の眼』の本拠地がある国。

この国が衰退することは、当分の間はありそうになかった……。

あとがき

お久し振りです、ＦＵＮＡです。

『ポーション』、遂に第7巻が刊行です！

ミーネとアラルを迎え入れ、『リトルシルバー』、事業開始！

ちょっと厄介なお客さんも来たけれど、問題ないない！

集る羽虫を軽く払い、人材確保にかこつけて、売られた孤児達の回収に。

……そして現れた、『アレ』。

次巻、第8巻では、『揃ってしまった』３人が、昔のノリで、何をしでかすことやら……。


元々殆ど外出しなかったので、コロナの影響が最も少ない私ですが、月に一度くらいは外食をしていました。それも、今は殆ど行くことがなく、自炊かスーパーの総菜物の日々です。

『出掛けない』というのと、『出掛けられない』というのは、似ているようでも、やはり全然違いますねぇ……。

早く、『自分の意志で、出掛けない』という、選択の自由を取り戻したいものです。

今、私にあるのは、好きな時に衣服を洗える、『洗濯の自由』のみ……。

昨年、12月9日に、『ポーション』、『ろうきん』のコミックス7巻が同時発売されました。

小説と併せて、よろしくお願いいたします。


担当編集様、イラストレーターのすきま様、装丁デザイナー様、校正校閲様、その他組版、印刷製本、流通、書店等の皆様、小説投稿サイト『小説家になろう』の運営さん、感想欄で誤字の指摘やアドバイス、ネタのアイディアをくださった皆様、そしてこの本を手に取って下さいました皆様に、心から感謝致します。

ありがとうございます！

そして、次巻でまた、お会いできますよう……。

FUNA

ポーション頼みで生き延びます！7

FUNA

2021年1月29日第1刷発行
2023年9月25日第2刷発行

発行者	森田浩章
発行所	株式会社 講談社 〒112-8001　東京都文京区音羽2-12-21
電　話	出版　(03)5395-3715 販売　(03)5395-3605 業務　(03)5395-3603
デザイン	ムシカゴグラフィクス
本文データ制作	講談社デジタル製作
印刷所	株式会社KPSプロダクツ
製本所	株式会社フォーネット社

KODANSHA

ISBN978-4-06-521869-3　N.D.C.913　307p　19cm
定価はカバーに表示してあります

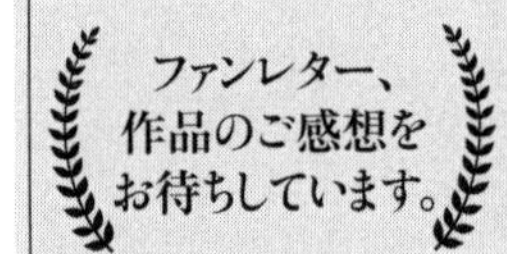

〒112-8001　東京都文京区音羽2-12-21
(株) 講談社　ライトノベル出版部 気付
「FUNA先生」係
「すきま先生」係